真理と愛美

MARI and AMI
Tatsukazu Hattori
服部達和 著

鉱脈文庫
ふみくら
34

目次

真理と愛美

一

真理(まり)と愛美(あみ)は高校二年生である。小学校、中学校、高校と同じ学校に通っている。

小学校に入学した時、同じクラスになったが、その頃はまだ二人がどのような仲だったのかは覚えていない。小学校六年間、二人とも同じクラスだったので、それとなく仲の良い友達となっていた。中学生になって、入学した中学校でも同じクラスになったので、気心も知れてきて仲良しとなった。二人とも、その学校での学業成績は良かった。運動能力は高くもなく、かといって低くもなかった。二人ともに普通の運動神経の持ち主だった。クラス内での役割りや学校行事等にも、他のクラスメートと一緒に協力して取り組んでいた。

高校でも同じ学校に合格し、同じクラスとなり、勉強面でもスポーツ面でも拮抗しているので、友情面は良好なのだが、段々とライバル心もお互いに感じあっていた。二人とも、中学校時代の勉強はあまり難しいとは思っていなかったが、高校生になって、各教科での暗記事項が増えたためか、勉強が難しいと思うことが多くなってきていた。それぞれ努力はしているのだが、なかなか思うような成績が取れないでいた。真理は愛美よりも良い成績を上げたかったし、愛美は真理よりも、やはり良い成績を上げたいと思っていた。運動能力が特に高い生徒は、得意のスポーツで特待生として入学してきているので、あまり勉強面で良い成績を上げなくても進級していけた。そのため、多くの生徒たちからは羨ましがられていた。

中間テストが終わり、真理が帰ろうとしていると、愛美が声を掛けた。

「まりちゃん、テストも終わったことだし、次の休みの日に、裏山に登ってみない」

裏山といっても、学校のすぐ近くにあるわけでもない。学校のある通りから、かなり離れているが、街があり、それよりも遠くに海が望める。その反対方向に、海までの距離と同じくらい進むと、小高い高台がある。海とは反対側が高台となっているので、略その中間に高校は位置している。この高台のことを、愛美は「裏山」と言ったのだった。この高校の生徒たちは、通称「裏山」と呼んでいた。

愛美の提案に真理が同意し、弁当持参で、場所と時間の打ち合わせをして、二人はそれぞれ自宅へと帰っていった。

中間テスト終了後の最初の休日に、真理と愛美は約束どおり、裏山と呼ばれる高台へ登った。天気は良く、空は青空が広がっていた。高台から街が見えた。街には道路と平行して鉄道が走っている。目を凝らすと駅も見える。さらに近くに目をやると、二人が通っている高校が見えた。真理が二人の通う学校を見つけて言った。

「あっ、私たちの学校だ。ほら、あみちゃん見える」

と言って、高校の建物を指さした。愛美は真理が指す方向を見て言った。

「ああ本当だ。私たちの学校だ。上から見るとあんな格好してるんだ」

二人とも、自分たちの身近な物が確認できて、少し楽しい気分になった。目を遠くへやると、青い海が広がり、浜辺には白い波が薄い横線となったり、波打ったり、キラキラと光ったりしていた。青い海を見上げていくと、どこまでも青い空が広がっていた。愛美は青い海と青い空を見詰めて言った。

「青い色っていいね」

真理も、青い海と青い空に見入っていた。

海は遠く水平線へと続いている。天空の太陽はまだ少し東の方向に位置していて、太陽光が強いので、あまり凝視はできないが、白く光り輝いていて、青さは少なくなっている。海は全般的には青いが、高台から太陽の方向へ体を向けて、海を眺めると、砂浜から水平線までかなりの幅でキラキラと太陽光を反射させて、海も光り輝いている。空に目をやり東に向けていくと、再び空の青が強くなり、ずっと東の水平線に向かうと段々と水色となっていき、青さは薄れていっている。逆に太陽から少し南の方向へ、そして、さらに少しずつ西へと空を見ていくと、空の青さはかなり強くなっている。その下の海も青々としている。

青い空と青い海を見比べながら、真理が言った。

「青い空の下の海は、そのまま空の色と同じように青いんだね」

愛美も空と海を見比べながら言った。

「そうだね」

南の方向の空の青さも、水平線へ向かっていくと青さが薄れていき、海の青さも水平線に向かうにつれ、少しずつ水色となっていく。西へと目を向けていっても、青空も青い海も水平線に近づいていくと、少しずつだが水色っぽくなっていっている。

真理も愛美も、それまでは空や海をよく見ていなかったと思った。真理が言った。

「海の青は空の青を映しているのだと思うけど、どうして空は青いのかなあ」

愛美は「そうよね」と言いながら、以前聴いた内容を伝えた。

「空気って、酸素や二酸化炭素だけじゃないじゃない。大気中には窒素や酸素や炭素等いろんな分子があって、そんな分子だけでなく塵や水滴や花粉等、本当にたくさんの物質が含まれているのよ。それに太陽の光が反射するじゃない。空気中の粒子に太陽の光がぶつかって、波長の短い青い光が拡散しているので、空は青く見えるらしいのよ」

真理は自分がそれまでに思っていたことを、少し考えながら言った。

「私の考えではね、空気は透明だとは思うのだけど、ほんの僅（わず）かに水色がかっていて、それがずうっと空高くまで重なっていっているので、青色に見えるのじゃないかなと思っていたの。でも、空気中のたくさんの粒子に、太陽の光の波長の短い青色が拡散して、地上の私たちには青く見えるのね」

愛美は、他の空の色のことも思い出して、もっと真理に分かってほしいと思って言った。

「朝焼けや夕焼けで、東の空や西の空が真っ赤に見える時があるじゃない。昼間の太陽の位置は少し南の上の方だけど、朝や夕方の太陽の位置は昼間より低い場所にあるので、光が大気の層を通る距離が昼よりも長くなるらしいの。昼は波長の短い青い光が届き、朝焼けや夕焼けの時は、波長の長い赤い光が届いて私たちの目に見えるらしいの」

真理は、完全に理解したわけではなかったが、愛美が心を込めて説明してくれるので、空が青いのは、大気中の窒素や酸素や炭素等の分子や空気中のたくさんの物質に、波長の短い青い光が拡散しているので青く見えるのだという愛美の主張を受け入れようと思った。そして真理が言った。

「あみちゃん、昔の中国の戦国時代の儒者で荀子（じゅんし）という人が『荀子』という書物を書いたじゃない。その中に『出藍（しゅつらん）の誉（ほま）れ』というのがあって『青は藍（あい）より出でて藍より青し』とあるけど、藍ってタデ科の草でしょう。その葉や茎から染料を採るらしいよ」

愛美も、荀子を思い出しながら言った。

「藍から生まれた青色はとても綺麗なので、弟子が師よりも優れた時に使われる諺（ことわざ）なんでしょう。藍色って紺色と青色の中間くらいの色かなあ」

真理も同じように思った。

「暗い方から紺、藍、青なんでしょうね。紺色って紫も混った深く暗い色よね。日本では青色ってかなり広い範囲の色なんじゃないの。緑色だって青って言うじゃない。緑の若葉を青葉と言ったり、交通信号の青だって、よく見ると緑色をしていたりするよね。昔から、紺も藍も緑も水色もみんな青なのよ」

真理は青色は好きなのだが、太陽の光が空気中の窒素や酸素や炭素の分子に、波長の短い青の光が拡散して、空が青く見えるという愛美の説明には不思議な気持が残っていた。他にも、真理にとって不思議だと思うことがあった。地球の北極から南極へ流れている磁気だが、何故(なぜ)か不思議だと思っていた。

「あみちゃん、方位磁石って常に北を指すじゃない。どうしてだろう。磁気も不思議だと思わない。私たちには何も感じないじゃない」

と言って、真理は北の方向へ手の平を向けてみた。愛美も同じように、北に向かって手の平をかざしてみた。

「当然だけど、何も感じないね。人間には磁気を感じ取る力がないのよ」

真理が言った。

「春から夏にかけて南方の国々から日本に渡り鳥が来るじゃない。燕(つばめ)なんかはその代表じゃない。秋から冬にかけてはシベリア等の北方から鴨や鴛鴦(おしどり)や鶴や白鳥等たくさんの渡り鳥が来るけど、遺伝的に方向性を持っていて、太陽や星の位置関係や時間の識別能力を持っているんだって。ひょっとして磁気を感じ取る能力も持っているんじゃない」

愛美も、以前ニュースで聴いた動物のことを思い出した。

「日本の牛舎で飼われている牛たちにはあまり見られないらしいんだけど、世界中の牛をよく調査していくと、広い草原に放し飼いで飼育されている牛は、牧草を食べる時に、ほとんどが北か南を向いて食事をするんだって。その牛の集団がみんな北を向いて食べていたり、逆にみんなが南を向いて食べているんだって。不思議だと思わない。きっと牛には磁気を感じ取れる能力があるのよ」

真理も関連したことを聞いたことがあった。

「牛だけじゃなくて、他の動物でも磁気を感じるらしいよ。磁気だけでなく音波だって、動物は人間以上の能力を持っているんじゃない。超音波は振動数が非常に多い音波で、人間には聞き取れないけど、蝙蝠（こうもり）なんかには聞こえるので、光がない所でも自分の出す超音波の声の反射で自由に飛べるんでしょう。蝙蝠以外でも、超音波が聞こえる動物たちがいるのよ。逆に振動数が少ないので、人間には聞こえない音に低周波があるじゃない。その低周波を使っている動物もたくさんいるじゃない。海の哺乳類の鯨や海豚（いるか）等は、遠くにいる仲間に低周波で会話をしているんだって。チータや馬は人間より速いし、虎やライオンは人間より強いじゃない。本能ということでは、考えると、人間より動物の方が優れていると思わない。植物だって自然の中で生きていくのに、人間以上の生命力を持っているんだと思うよ」

愛美も、真理の話に納得して言った。

「でも、人間って頭がいいんじゃない？」

愛美は自分のその言葉の「頭がいい」の部分が気になった。

「私たちって、学校の成績がいいことを頭がいいって言ってない。それって本当なのかなあ」

真理も、いつも勉強の成績が気になっていたので、少し考え直してみた。

「私はね、中三の時、高校入試に合格するために勉強していたような気がするの。そして今高校生になって、今度は大学入試のために勉強しているような気がするの。でも、それって本当の勉強なのかなあ。勉強って何のためにするんだろう」

愛美も、中三の頃を思い出しながら言った。

「私も入試合格のために勉強していた。学校って、知育、徳育、体育を三本柱として教育を行っているというじゃない。徳育って掃除やボランティア活動や道徳活動などよね。体育は体育の授業や運動会や部活動で体を鍛えることよね。知育は当然勉強することだと思うけど、入試のための勉強が本当に知育なのかなあ。私たちって、先生が『ここがテストに出るぞ』と言うと、真剣に勉強して、テストと関係のない内容だったら、サボったりするじゃない。本当にそれでいいのかなあ」と自分の疑問を投げ掛けてみた。真理も愛美の疑問を考えてみた。

「勉強って、頭を使って考えたり暗記したりするけど、脳の前頭葉を働かせているのよね。確かに頭のいい人もいるし、歴史上ではたくさんの偉大な学者や研究者たちが努力したお蔭（かげ）で、今の文化的な社会になっているのよね。でも実はね、私たちのような平凡な人間は、あまり前頭葉を使っていないんだって。老人だって脳は開発していけるし、若い人はもっともっと能力を伸ばしていけるらしいよ」

愛美も同調して言った。

「いやいや勉強しているからいけないのよ。目的をはっきりとさせて、意欲的に向上心を持って勉強すると、きっといい成果に結びつけていけると思うよ」

真理も自分の勉強に対する気持ちを考えてみた。

「あみちゃんも大学入試共通テストを受験するんでしょう。私も共通テストを受けようと思っているんだけど、テストのために勉強するんじゃなくて、高校の勉強が将来の自分や社会にきっと役立つと思って勉強していきたいなあと思っちゃった」

「私もまりちゃんと同じなんだけど、世界中には勉強したくても勉強できない子どもたちがたくさんいるんでしょう。日本は一応みんな学校に行って勉強できるじゃない。心入れ替えて、教育に関わる多くの人たちが熱心に作り上げてきた教科をしっかり勉強して身に付けていければいいと思うよ」

と、愛美は真理に同調して言った。

二人は高台から街や海の見える景色を眺めていたが、真理は背後に広がる雑木林を振り返って言った。

「あの雑木林の中を歩いてみない」

愛美も同意して、二人で雑木林を散策してみることになった。

雑木林に足を踏み入れると、ヒンヤリとした冷気が感じられた。森林浴で空気も美味しく感じられた。土も湿気を含んでいるのか、靴が少しだけ深く吸い込まれながら一歩一歩確実に歩いていった。真理は虫は平気だが、愛美は少し苦手なのか、虫を避けながら歩いた。肩や手に木々の枝がガサガサとぶつかったり、時には枝の下を屈(かが)んだりして歩いた。

どのくらい歩いたのだろうか、二人は雑木林を潜(くぐ)り抜けた。そして二人の前方が開けた。二人は目を見張った。なんとそこには緑の大地が広がっていた。愛美が言った。

「ここって本当に日本なの。広いわねえ。まるで次元の違う別世界に入り込んだみたいね」

真理も、広がる緑の大地を見て自分の目を疑った。

「どうしてこんな所に、今までに見たことのないような広大な緑の大地が広がっているの」

そこには、確かに二人がそれまでに見たことのない大地が広がっていた。

二

二人の前に緑の大地が広がっている。真理は緑の中へと走った。真理の走る姿を見て、愛美は自分の子どもの頃の姿を思い出していた。あの頃は本当に無邪気だった。毎日が楽しかった。しかし高校生となった現在は、頭の中は学校の成績が気になっていて、なんとなく気持ちが重苦しい。月日は流れる。地球も動き、太陽系も天の川銀河を回っていく。天の川銀河も大宇宙を回っていく。すべてが動き、そして変化していく。今地球上で生活しているすべての生命体も、少しずつ変化していく。私たち人間は今を精一杯生きていくしかない、と愛美は思った。

真理は緑の大地を、愛美を背にして走り続けている。

愛美は自分の目を疑うような、不思議な光景を目にした。真理が一瞬消えたのだった。愛美は本当に驚いたが、しっかりと目を凝らすと、緑の大地の中を確かに真理は走っていた。そして止まって、愛美に向かって振り返った。そして言った。

「あみちゃんもおいでよ。緑の中って気持ちいいよ」

しかし、一瞬消えた真理が、茫然と立ち尽くす愛美に声を掛けているのだ。

「どうしてそんなに驚いた顔をしてるの。早くおいでよ」

来るように誘う真理の言葉を受けて、愛美は「まりちゃんが、緑の大地の中で一瞬消えたのよ」と大きな声で叫んだ。

真理が呆れて言った。

「なに馬鹿なこと言っているのよ。私はちゃんとここにいるわよ。変なこと言わないで、早くここにおいでよ」

愛美は、自分の目の錯覚だったのかもしれないと思い直し、真理に向かって走った。すると、なんと先ほど真理が消えた場所を走り抜けた時、同じように愛美も消えたのだった。真理も、自分の方に向かって来る愛美が一瞬、消えたのを見た。そして本当に驚いた。真理は、自分が愛美にも自分の所へ来るように言った時、確かに愛美は驚いていた。真理は、自分が消えたと言う愛美は馬鹿げていると思った。それなのに今度は、真理自身が、自分に向かって走る愛美の姿が消えたのを見た。真理は先ほど「まりちゃんが、緑の大地の中で一瞬消えたのよ」と叫んだ愛美の言葉は本当だったのだと思った。しかし不思議だ。緑の大地を走る人間が消えるはずはない。真理は茫然と立ったまま、自分の近くに来る愛美を迎えた。驚いている真理に愛美が言った。

「まりちゃん、私も消えちゃったの。私がまりちゃんが消えたのを見たように、まりちゃんも私が消えたのを見たの？」

そうなのだ。二人が走った同じ場所で、二人ともに一瞬消えたのだった。二人はどちらからとなく、お互いに強く手を繋いでいた。二人一緒に、この緑の大地に来ているのに、相手が消えてしまって、一人だけで残されるのは本当に怖いと思った。

「二人とも、一緒にいましょうね」

真理も愛美も声を揃えて言った。愛美が、二人が消えた場所を指差して言った。

「私が最初に、あそこでまりちゃんが消えたのを見たのよ。そしてその後で、私が消えたのをまりちゃんが見たのよ。あそこには何かあるんじゃない？」

「もう一度、あそこに行ってみる？」

と真理が言った。

愛美も行こうと思った。二人はゆっくりとその場所に近づいていった。繋いでいた二人の手に力が入った。強くしっかりと握り合っていないと不安だった。先ほど二人が消えたその場所に、二人一緒に入ったのだが、二人が周りを見回しても、緑の大地の様子は何も変わっていなかった。

二人は顔を見合わせて言った。

「何も変わったことはないね。雑木林もそのままだし、緑の大地も同じだね」

二人から見回せる風景は何も変わっていなかった。しかし、まだ二人はまったく気が付いていなかったが、実は二人の外からは二人の姿は消えていたのだった。

二人の頭の上から声が聞こえた。

「二人の名前は、まりちゃんとあみちゃんなのね。私は妖精。二人は高校生なのね」

真理と愛美は驚いて、上を見上げた。そこには可愛い妖精が、背中の翼を羽ばたかせながら空に浮いていた。

「あなたは誰なの？」

真理と愛美は揃って驚きの声を上げた。

「私は妖精。あなたたちが私の近くに来ただけなのよ。外からは、私の姿もまりちゃんとあみちゃんの姿も、消えていて見えないのよ」

「そんな馬鹿なことがあるわけないじゃない」

と真理が言った。

妖精は自信を持って言った。

「まりちゃんは此処で、私とあみちゃんが見えているじゃない。でもね、此処から少し離れて見ると、私とあみちゃんは見えないのよ」

その妖精の言葉は変だと思い、真理が言った。

「そんなことないわよ。三人はこの草原の中にいるじゃない」

真理には、愛美も妖精も、そして周りの緑の大地もはっきりと見えていた。妖精が言った。

「私の言っていることが嘘だと思うんだったら、まりちゃん、此処から少し離れて、もう一度此処を見てみてよ」

真理は妖精の言っている言葉は疑わしいと思ったが、一応妖精の言うとおりに行動してみた。先ほど真理が立っていた場所へと少し歩いて、妖精と愛美のいる方向へ振り返って、その場所を見た。誰もいない。草原の奥には雑木林が見えた。驚いた。妖精と愛美が消えていた。しかしその時、妖精と一緒の愛美には、驚いている真理の姿はしっかりと見えていた。

真理は一人ぼっちになった寂しさが込み上げてきたが、どうしても愛美とは一緒にいたいと思い、妖精と出会った場所に戻った。其処には、ちゃんと愛美と妖精がいた。そして言った。

「あみちゃんが消えていた」

そう言った真理の目には涙が浮かび、そして真理の頰をつたって流れていった。

そして今度は両手で、愛美の両手を力強く握り締めた。愛美には、真理の行動が自分のことのように理解できた。妖精と愛美のいる場所から離れて歩き、振り返って見た真理の驚いた顔。その顔が寂しさに変わり、そして戻って来て愛美の姿を見て安心した顔となった。友情は大切だと愛美も強く思った。妖精が愛美にも促した。

「あみちゃんも此処から離れて、私とまりちゃんが消えているのを確認してみてよ」

妖精に促されて、愛美も先ほど真理の行った場所まで歩き、振り返ってみた。愛美にも、其処には誰もいなく、緑の草原が広がり、奥に雑木林が見えるだけだった。愛美も心細くなり、急いで真理と妖精の許へ戻った。其処にはちゃんと真理と妖精がいて、愛美も安心した。

「でも不思議よね。私もまりちゃんも確かに此処にいるのに、外からは見えていないんだよね」

と言う愛美に妖精が言った。

「雑木林の向こうの高台で、二人が地球の磁気の話をしてたじゃない。人間には磁気の流れは見えないのよ。時には、人の目に見えない物でも大切な物があるのよ」

愛美が妖精に言った。

「妖精ちゃん、あなたはどうして、私たちが高台で地球の磁気の話をしていたことを知っているの」

妖精が答えた。

「私はあの雑木林にいることが多いのよ。その近くの高台で二人が話していたのが聞こえたの。それで二人が磁気の話をしてるなあと思っただけなのよ」

愛美は少し憤慨して言った。

「妖精ちゃん、あなたは私たちの話を盗み聞きしていたのね」

しかし、妖精は平然と答えた。

「盗み聞きじゃないのよ。二人の話が聞こえただけなの。人間には良い人も悪い人もいるじゃない。悪い人たちが悪事を企(たくら)んでいる時、人間だったら、その悪事を知った人たちは、悪い人たちをたしなめたり、逮捕したりするじゃない。でも妖精はそんなことはしないの。悪いことをしようとする本人が、本当にいけないと思って本人が止めないといけない、と思っているのよ。二人が話していた磁気の話はとても良い内容だし、ただ聞こえてきただけなの」

愛美は少し褒められたようで、妖精の言葉に納得した。妖精は二人の頭の上を、翼をホバリングしながら空中に停止している。鳥や蜂等昆虫のホバリングは、ものすごく速い回数で羽根を動かしながら停止しているが、妖精の場合は、翼の動きもゆったりとしている。真理と愛美は、上に向かって妖精と話しているので、首が疲れてきた。真理が言った。

「妖精ちゃん、私、首が疲れてきたので、寝転んで話してもいい」

そう言って真理は草原に寝転んだ。空は青く、その青空に可愛い妖精が浮かんでいる。なんとなく真理は幸せな気持ちになった。

愛美も、ナップザックを草の上に下ろして、

「私も寝転ぼう」

と言って、真理の横に寝転んだ。愛美も、青空に浮かぶ妖精を見て幸せを感じた。

二人が草原に横たわったので、妖精も少し下へと高さを変え、二人に近づいた。

二人が同じ方向に体を横たえているので、妖精が言った。

「高台で二人が、牛には磁気を感じ取る能力があるって言ってたじゃない。たくさんの鳥や昆虫や哺乳動物が磁気を感じ取っているのよ。だって、本当に地球では磁気が流れているし、地球は約二四時間で自転しながら、その南極から北極へと地球の内部でも磁気が流れているじゃない。しかも、電磁波は地球外の真空中だって伝わっているのよ。人間に聞こえる音波はある程度の幅だけど、振動数が多くて超音波となっているものが聞き取れる動物や、逆に振動数が少ない低周波が聞き取れる動物もいるって話してたでしょう。光だって人間の可視光線の幅は狭くて、紫外線や赤外線によって行動する昆虫等の動物もいるのよ。電磁波は宇宙空間にも流れていて、地球の磁力線に沿ってオーロラが現れるのよ。地球の大気圏外までオーロラは広がっているのよ」

妖精と話しながら、少し安心してきたのか、真理と愛美はお腹が空いてきた。

「私、弁当を食べたくなったんだけど、妖精ちゃんも何か食べる」

と、真理が言うと、妖精は、

「二人は昼食を取ってよ。私は何も食べないの。私たち妖精は自然のエネルギーを頂いているので、一般的に動物が食べるような食べ物は食べないのよ」

愛美は妖精の言った「自然のエネルギー」とは何だろうと思ったが、一応真理と弁当を食べることにした。二人は腰を起こし、横に置いていたナップザックから弁当を出した。真理の弁当にはサンドウィッチが並べられていて、愛美の弁当には小さな海苔巻きのお握り数個と卵焼き数切れとミニトマト等の野菜が色彩良く並べられていた。

真理は愛美の弁当を眺めて言った。

「あみちゃんの弁当美味しそう。二人の弁当半分ずつ分けて食べない?」

愛美も同意して、二人で仲良く昼食を取った。ペットボトルの飲み物も出して、愛美が、

「妖精ちゃん、こんな飲み物も飲まないの?」

と聞いたが、妖精は、

「そうなの、自然のエネルギーを頂いているので、飲み物も飲まなくて平気なの」

と言った。

人間は野菜や魚や肉等を食べているが、妖精は自然のエネルギーで生きているとはいったいどういうことなのかと、愛美はとても興味を持った。

「妖精ちゃん、自然のエネルギーって何なの?」

愛美の質問に、妖精は答えた。

「自然のエネルギーって、本当に広くて、ものすごく多くの要素があって、科学で解明されているものもあるけど、まだまだ人間の科学では解明されていないものもたくさんあるの」

愛美は分かったような、分からないような中途半端な気持ちだった。真理は、海苔巻きの小さなお握りを貰って食べながら、

「あみちゃんのお握り美味しい。あみちゃんって料理が上手なのね」

と言って、嬉しそうに食べていた。

妖精が言った。

「人間って、いろんな種類の食べ物を食べているじゃない。馬や牛は人間よりも頑丈な体をしているけど、草や野菜で生きていけるし、パンダなんか笹竹だけで生きていけるのよ。人間もだけど、植物や動物が誕生して、成長していき、子孫を残していけるのも、すべて自然のエネルギーのお蔭なのよ」

妖精の話を聞きながら、真理と愛美は楽しくサンドウィッチとお握りの両方の味を堪能(たんのう)していた。妖精は人間の体についても話した。

古代ギリシア時代に「医学の父」といわれるヒポクラテスという人がいた。骨や内臓や血管について研究している。紀元前四〇〇年くらいのことだった。古代アレ

クサンドリアのヘロフィルスは、人体解剖をして「脳が神経系の中心である」と言っている。大脳と小脳で働きが違い、知覚神経と運動神経の区別、動脈と静脈の区別も調べている。紀元前三〇〇年くらいのことだった。

紀元後となり、古代ローマ時代のガレノスは動物の解剖を行い、『身体諸部分の有用性』等の書物を著している。

一四世紀のヨーロッパでは、人体解剖も行われるようになった。一三一六年にイタリア人のモンディーノは『解剖学』を著している。ベルギー生まれのヴェサリウスは一五四三年に『ファブリカ』を著し、「人体の中にこそ真実がある」と記している。骨、筋肉、血管、神経、腹部内臓、胸部内臓、頭部の器官を研究した。その後も世界中で人体の研究が進んでいった。

体は頭部、頸（けい）部、胸部、腹部、上肢、下肢が表面では区分されている。

内面には、骨格、関節、筋肉、筋、循環器、血管、リンパ等があり、食べ物は消化器で消化吸収され、空気は呼吸器で吸収や排出が成されている。排出も大切で、肛門からの排出そして泌尿器からの排出もあり、生殖器も大きな働きがある。内分泌系、中枢神経系、末梢神経系、自律神経系、皮膚等、人体は実に複雑で巧妙に構成されている。

微生物も植物も動物も、すべての生物が複雑で巧妙なのだが、特に人間の体は他の動物たちとは違っている。

食べ物を口で咀嚼する。歯が健康的であるのが良い。唾液で消化を助ける。食べ物は喉と食道を通って胃へ。胃液が蛋白質を分解する。肝臓から胆汁が分泌され、胆嚢に蓄えられ、食事をすると腸に送り出される。膵臓で膵液が作られ十二指腸に分泌される。肝臓にはいろいろな働きがあって、胆汁は脂肪の消化を助ける。糖や蛋白質や脂質やビタミンやホルモンの代謝、血漿蛋白質の合成、解毒等もする。多量の飲酒は肝臓に負担がかかる。小腸では蛋白質はアミノ酸に分解され、炭水化物は単糖類へ分解されて吸収され、毛細血管から血液によって体内に運ばれていく。消化管を通ってきた水分は、かなり小腸で吸収される。大腸では残っていた水分の多くが吸収され、残ったものは糞便となり排泄される。糞便は健康のバロメーターとなるようだが、大切なのは腸内細菌で、納豆菌やヨーグルト乳酸菌のような発酵食品が良いようである。大腸で吸収された水分は腎臓で尿となる。

妖精は、食べ物が人間の体にとって非常に大切であると、真理と愛美に話し、楽しく食事をすると、栄養が良く吸収されることを伝えた。真理と愛美は、妖精に好感が持てたので、楽しく食事をすることができた。真理のサンドウィッチの具もハムや卵やポテトサラダ等色取り取りだったし、愛美のお握りも本当に美味しかった。

二人は食事が終わると、ナップザックに片付け、それぞれの横に置き、また頭を同じ方向に向けて横になった。それで妖精は、また二人の顔の少し上の所でホバリングをする体形となった。愛美は、先ほどから気になっていた妖精の言葉を思い出して言った。

「妖精ちゃん、私たちは昼食を取ったんだけど、妖精ちゃんは自然のエネルギーを頂いているから食べなくてもいいと言ってたじゃない。一体自然のエネルギーって何なの？」

その愛美の質問を受け、妖精は答えた。

「さっき、生物が誕生し、成長し、子孫を残すのも、自然のエネルギーに依っているって言ったじゃない。自然のエネルギーって本当に莫大で、簡単には言い表せないものなの。地球上の生き物には、すべて自然のエネルギーが影響を与えているのよ。天気も自然災害も太陽の恵みも、雨や雪の水も、空気も、みんな自然のエネルギーなのよ。人間は頭が良いから、科学によって、次々と自然のエネルギーを解明してきているのよ。でもね、この二一世紀の科学の進んだ世界であっても、まだ人間には自然のエネルギーのほんの一部しか解明できていないのよ」

と言って、妖精は次のような説明を加えながら話していった。

ビッグバンによって宇宙が誕生した時、宇宙は混沌とした状態だった。永劫の年月を掛けて地球が誕生するが、そこには宇宙のエネルギーが働いていた。地球に生命が誕生し、微生物や植物や動物が進化し、脳が発達した人類が誕生した。そのため、科学が進み、自然のエネルギーの一部を解明してきている。多くの研究者や科学者たちの努力の積み重ねで、文明文化や人類の科学は驚異的な発展を遂げている。コンピューターからインターネットへ、そして今では人工知能を使ったスマートフォンでは千差万別の情報を手に入れることができる。地球から約四〇〇キロメートル離れた宇宙空間には人工衛星が飛び、二一世紀中には月面基地が建設されることになっている。ロボットの改良も進められ、人工知能を使った進化した人型ロボットも開発されている。しかし、人類には、微生物の生命も植物や動物の生命も造れないだろうし、恒星や惑星や衛星等の銀河の源も造ることはできない。

ビッグバンで宇宙が誕生したのが約一三八億年前、原始地球が誕生したのが約四六億年前、その後、火球の地球に海ができ、生命が誕生し、地球に生命体が生きていける環境が生まれた。しかし、産業革命から約三〇〇年で、地球の環境が壊されようとしている。微生物や植物や他の動物等が生存しているから、人間も生きていけるのに、絶滅が危惧される動植物が増えているし、既にたくさんの動植物が絶滅してしまっている。蝙蝠等の野生動物の間に存在していたコロナウイルス等の病原体が、遂に人間の細胞にまで入り込むようになってしまい、多くの人が罹患して、世界中で多くの人が亡くなっている。自然のエネルギーが働き続けてきた自然環境を、人間の都合で壊してしまっていいのだろうか。

　妖精は自然のエネルギーが莫大なエネルギーであること、ビッグバン以降の大宇宙での宇宙のエネルギーは、まだまだ人類の宇宙科学では解明できていないものが無限にあることを、真理と愛美の二人に分かってほしいと思った。

　妖精は真理と愛美に質問した。

「地球は一日で一回転自転しているじゃない。その自転の速度と地球上での音の速さとではどちらが速いと思う」

　真理と愛美は考えた。真理が言った。

「赤道を地球一周すると、確か約四万キロメートルだと思うの。ということは、赤道上の一地点が一日で約四万キロメートル移動することになるのよね。ということは、音が一日二四時間で、どのくらい進むかを計算して比較すればいいのよね」

それを受けて愛美が言った。

「音は気温が一五度Cの時、一秒で約三四〇メートル進むんだったわよね。一日二四時間に音が何メートル進むかを計算すればいいんだ。面倒臭い」

真理と愛美は二人で一生懸命に計算した。一分は六〇秒、一時間は六〇分、一日は二四時間と計算していった。一分で二〇・四キロメートル、一時間で一二二四キロメートル、一日で二万九三七六キロメートルとなった。音は一日で約三万キロメートル進むということは、地球の自転の方が速い。真理が言った。

「信じられない。音が進む速さより、ずっと速く地球は自転しているのね」

愛美も驚いた。それを受けて妖精が言った。

「二人が計算したように、地球は音よりも速く自転しているのよ。それじゃ次に、地球はどのくらいの速度で、太陽を公転していっていると思う」

その妖精の二番目の質問を受けて、真理と愛美はまた計算した。真理が言った。

「太陽から地球までの距離を半径とすると、その二倍が直径でしょう。それにπを掛けると一周で一年かかるのよね。πは三・一四倍でいいの、妖精ちゃん。円周がだいたい地球一年間の距離よね。それを三六五日で割ると一日で地球がどのくらい進むのかが分かるわよね」

愛美が言った。

「地球から太陽までの距離は、約一億五〇〇〇万キロメートルよね。直径は二倍の約三億キロメートルだから、その三・一四倍が一年間の太陽一周の公転よね。それを三六五日で割ると、一日で地球が進む距離になると思う」

三億キロメートルの三・一四倍は約九億四二〇〇万キロメートル。それを三六五日で割ると、地球は一日で約二五八万キロメートルの距離を公転していることになる。時速三〇〇キロメートルで走る新幹線は一日で七二〇〇キロメートルの距離を走る。二五八万キロメートルの距離は新幹線が約三五八日走り続ける距離よりも長い。ということは、地球は一日で、時速三〇〇キロメートルで走る新幹線が三五八日も走り続ける距離を移動し続けていることになる。

地上で生活している人間には、地球は止まっていて、朝東から太陽が昇り、天頂の少し南を通過して西へと向かい、夕方、西に沈んでいき、夜になって暗くなると感じている。しかし、宇宙空間から見ると、地球は音よりも速く自転しながら、一日で約二五八万キロメートルの距離を公転して移動していっていることになる。

「人間の視点はどうしても狭くなってしまうけど、電磁波のように人の目に見えないものもあるし、宇宙のエネルギーや自然のエネルギーは本当に莫大なものなのよ」

と、妖精は真理と愛美に言った。そして、

「でもね。動物の中でも人間は頭が良いので、多くの人びとが長い歴史の中で、ものすごい科学の結果を残してきているのも確かなのよ」

と付け加えて、二人に言った。

「まりちゃん、あみちゃん、上の青空を見ていて」

真理と愛美は草原に横たわったまま、正午を過ぎた青空を見ていた。二人は、実に不思議な空間を見ることになった。そこには確かに妖精は浮かんで見えた。しかし、青空をバックのスクリーンのように感じ、何か小惑星探査機のようなものが見えた。日本の小惑星探査機「はやぶさ2」だ。何故、青空を背景に「はやぶさ2」が見えるのか、二人にとって本当に不思議だったが、妖精と仲良くなったことだし、この際、すべてを妖精に任せることにした。

宇宙航空研究開発機構が二〇一四年一二月三日、H2Aロケットで打ち上げた小惑星探査機「はやぶさ2」が、約三年七か月かけて二〇一八年六月二七日、小惑星リュウグウに到着し、二〇一九年二月二二日、一回目の着陸で表面物質の採取をし、七月一一日、二回目の着陸で地下物質の採取をした。その後二〇一九年一一月一三日、小惑星リュウグウを出発し、約一年一か月かけて二〇二〇年一二月五日、採取試料入りのカプセルを地球に向け分離し、翌六日、カプセルが地球に帰還した。試料を分析することで、生命の起源や太陽系の起源の発見の可能性があるのではないかと考えられている。

約六年もかけて、「はやぶさ2」が小惑星リュウグウから採取物質を地球に届けた映像を、流れるような速さで青空の中に、真理と愛美は見ることができたのだった。

真理が言った。

「凄(すご)い。妖精ちゃん、凄い。なんでこんなのが私たちに見れるの。本当に不思議ね。でも、原始地球が誕生した頃、まだ地球は火の塊でそこに無数の小惑星等が衝突し続けて、それらの小惑星が有機物を運搬し、地球に生命が誕生する源となったと考えられているんでしょう」

真理の言葉を受けて、愛美も言った。

「妖精ちゃん、私も凄いと思う。私もまりちゃんと同じで、原始の火の塊だった地球に、生命の源が運ばれ、六億年もかけて、冷えて海ができて地球の環境が変化していき、海の中に微生物が誕生していったのではないかと思うの」

　真理と愛美の言葉を受けて、妖精が言った。

「二人の言うように、小惑星等から生命の源が運ばれたと考えてもいいし、火の塊である原始地球が誕生した時に、既(すで)に生命の源が含まれていたと考えてもいいんだと思うよ」

　最近では、小惑星が地球の生命の源を運んできたのではないかといわれているが、ビッグバンで宇宙全体に生命の源が分散し、太陽系の中に原始地球が誕生し、当初から生命の源が含まれていたと考えられないこともない。宇宙科学が大発展をしていると言っても、まだまだ人類が解決できない宇宙の不思議は無限に存在している。

　真理は妖精の話を取り入れて言った。

「現在は科学の発展のお蔭で、地球は自転しながら、太陽を一年かけて公転していくし、地球は大気で包まれているので、空気と水で生物が生きていけると分かるのよね」

　そして愛美も言った。

「昔の人は、空には太陽や月や星々があり、地球が天体の中心にあって、太陽や月や星々が地球の周りを回っていると思っていたんでしょう。でも、実は宇宙はビッグバンで誕生し、太陽系は天の川銀河の端にあり、その中の惑星の一つが地球なのよね」

二人が言いたいのは、科学の発展によって、人間が直感で感じていることは科学的に考えてみると、随分と違っているということのようだった。一六世紀の中頃、ポーランド人のコペルニクスは地動説を唱えた。イタリア人のガリレオ・ガリレイは望遠鏡で木星を観測することで地動説が正しいことを証明した。そのように多くの人びとの努力で、地球や宇宙のことが段々と科学的に証明されていった。地球と太陽の間の距離が約一億五〇〇〇万キロメートルで、「はやぶさ2」が試料を採取した小惑星リュウグウまでの往復が五二億キロメートルということは、太陽までの距離の約一七倍の距離まで「はやぶさ2」は行ってきたことになる。そして、さらに一一年かけて小惑星1998KY26まで旅することになっている。

妖精が真理と愛美に言った。

「多くの研究者や科学者たちによって、地球上の科学だけでなく、宇宙科学も本当に進んでいっているのよ。地球上には勉強したくても学校に行けない子どもたちだってたくさんいるのだから、安心して学校に行けるまりちゃんやあみちゃんはもっとしっかりと勉強しなくちゃいけないんじゃない。でもね、雑木林の向こうの高台で二人が、磁気の話もしていたじゃない。人間には磁気が感じられないけど、渡り鳥や多くの動物で磁気を感じるとも言っていたじゃない。本能的には、人間以外の動植物には優れた能力が備わっているのよ。でも、人間には素晴らしい頭脳が備わっているのだから、人類誕生以前から生命を育んできたこの美しい地球を大切に守っていかないといけないんじゃないの」

自然にはいろいろな姿がある。日本でも虹はよく見られる。太陽の反対側に見られ、雨粒の残る所に太陽の光が反射屈折して、一般的に七色に輝いている。雲が虹色に染まる彩雲も日本で見られる。太陽近くにある雲に雨粒の移動によって虹と同じような色彩が次々と変化していく。日本では見られないが、北極や南極の上空ではオーロラが見られる。約八〇キロメートルから三〇〇キロメートルくらいの上空なので、地球の大気とその外の宇宙空間で発生する。太陽風の粒子によって発生し、低い所では赤紫、中くらいの所で青や緑、高い所で赤く発光するらしい。

自然は人間にとって、とても恐ろしく厳しいものでもある。雷は、上昇気流の激しい積乱雲の中で氷晶がぶつかり合い、静電気が発生し、雲の上部でプラス、下部でマイナスとなり、雲の中や地面へと放出される。空中放電の時の光が稲妻で、音が雷鳴となり、落雷で大きな被害を受けることもある。アメリカのベンジャミン・フランクリンが凧揚げをして実験をしたことはよく知られているが、雷は静電気によると証明された。科学が発展していなかった昔の日本では、神さまが鳴るので、「かみなり」と言われていたのかもしれない。人間を遥かに超えた自然のエネルギーは想像を絶する大きなものではないのか。また、台風は積乱雲で発生する。赤道近くの暖かい海で海水が蒸発し、上昇気流が生まれ、積乱雲が成長し、水蒸気が熱を出して上昇気流はさらに強くなり、中心に吹き込む空気が強くなり、地球が自転しているので渦を巻くようになる。そして熱帯低気圧が台風となり、激しい雨や風となって被害をもたらす。

天気等の上空だけでなく、地下でも大きく地球は動き続けている。火山の噴火も恐ろしい。科学的に見てみると、地球内部は固定しているのではなく、サイクルをつくってマントルが移動し続けていたり、実に複雑な変化を繰り返している。地表近くにマグマだまりがあり、火山の噴火が発生する。また、日本の近くの地下では、太平洋プレート、フィリピン海プレート、ユーラシアプレート、インド・オーストラリアプレート等があり、大陸プレートと海洋プレートの移動によって地震が発生する。

このように自然のエネルギーは大きく、雷も台風も火山の噴火も地震も津波もその他の自然災害も本当に恐ろしい。人間が地球上で生活していく中で、たくさんの自然災害が発生するので、それにどのように対処するかが大切になる。でも、自然は災害をもたらすだけでなく、たくさんの恵みも与える。太陽の光も水も空気も、生物が生きていける環境が地球には現存する。人間の力で自然の脅威を完全に治めることはできない。まだまだ現在の科学では、自然のエネルギーの一部しか解明できていない。研究を進めて、もっと科学を進展させていくとともに、自然を大切にして、人間の生活を見直した方がいいのではないだろうか。

自然も宇宙もまだまだ解明されていない謎が無数にある。現在はビッグバンで宇宙が誕生したといわれている。現在の宇宙科学でのことなので、将来の科学でどうなるのかはまだ誰にも分からない。数十年前には、ビッグバンは一五〇億年前だろうといわれていたが、高性能の宇宙望遠鏡で宇宙の果てを見ていくと、一三八億光年前までは分かっているが、それ以上は分からないようだ。現在ではビッグバンは一三八億年前だろうといわれている。宇宙誕生後、秩序が出来上がる以前のカオスと呼ばれる混沌とした宇宙の状態が続いた。その後長い年月をかけて、銀河のような秩序に沿った宇宙が形成されていった。ビッグバンの当初から一三八億年もの間、莫大（ばくだい）なエネルギーはずっと宇宙に働き続けている。原始地球の誕生が約四六億年前といわれているが、生命の源が宇宙の天体から運ばれてきたとしても、元々地球内に含まれていたとしても、そこには宇宙のエネルギーの働きがあった。約七〇〇万年前に猿人が誕生し、原人から旧人へと進化し、約二〇万年前に新人が誕生したといわれている。

新人といわれる現在の人類は頭脳が非常に優れているので、昔から無数の学者たちが努力を重ね、長い年月をかけて、地球や宇宙の不思議の解明に力を注ぎ、科学を進化発展させ続けている。

青空を見上げている真理と愛美に妖精が言った。

「世界の科学界で、知っている科学者には誰がいる？」

それに対し、愛美が答えた。

「アルバート・アインシュタインは有名ね」

すると青空にアインシュタインの姿が現れた。

一八七九年ドイツのウルムで生まれたアルバート・アインシュタインは一九〇五年に特殊相対性理論を発表している。

「まりちゃん、他に知っている科学者がいる？」

と妖精が尋ねると、真理は、

「ニュートンは有名だよね」

と言った。すると次はニュートンの姿が現れた。

アインシュタイン以前の有名な学者ではニュートンがいる。ニュートンは一六四二年イングランドのウールスソープで生まれている。りんごの落下を見て、万有引力の法則を発見したといわれているが、実は月の運動を長年研究して得たもののようである。ケプラーの第三法則では、惑星軌道の長半径の三乗は公転周期の二乗に比例するというのがあるらしい。それをガリレオ・ガリレイの加速実験を適用することで万有引力の法則を発見したようである。

ケプラーは一五七一年ドイツで生まれた天文学者である。太陽と地球の距離の三乗が公転周期の二乗に比例するもので、両者の比が太陽と地球の質量の和に比例するので、質量保存則に基づいているらしい。この法則と遠心力の法則とを組み合わせて、万有引力の法則を導き出したらしいので、地球の衛星である月の動きを調べていくことが重要であったようである。ガリレオ・ガリレイは一五六四年イタリアのピサで生まれた物理学者、天文学者である。コペルニクスの地動説が正しいと考えて、望遠鏡を作製し天体を調べていった。他にも力学の実験をやっていて、加速実験や遠心力の法則等が後のニュートンの万有引力の法則にも役立ったようである。

ところが一九一六年にアインシュタインは一般相対性理論を発表した。そこには、それまでのニュートン力学では考えられなかった結論も含まれていることになる。重力の理論を含めたもので、物質が存在すると、その質量の影響で周辺の空間がひずむという結論を導いた。その見解に基づいて、天文観測をすることによって、その結論の検証が果たされたようである。そのことが元で、天の川銀河の中心にはブラックホールが存在するだろうという結論が出された。現在の宇宙科学では、そのブラックホール存在説が正しい実証だと発表されている。

本当に壮大で不思議なことだが、宇宙のエネルギーは、これらのすべてに影響を与え続けている。

草原に横たわっている真理と愛美が見ていたアインシュタインとニュートンの姿は消えて、元の青空には白い雲が流れている。太陽も少し西へと移動したようである。真理が妖精に聞いた。

「妖精ちゃん、昔は今のように科学は進んでいなかったじゃない。昔の人は、自然のエネルギーや宇宙のエネルギーを『神様』と呼んでいたのかなあ」

妖精は自分なりの考えを述べた。

「自然のエネルギーや宇宙のエネルギーは、人間の力を遥かに超えているので『神様』と呼んでいたのでしょうね」

それを聞いて愛美が言った。

「ということは、『神様』はいるということなの？　それとも、いないということなの？」

妖精はそれとなく、

「どちらとも言えるし、どちらでもないとも言えるよね」

と答えたので、愛美は言った。

「妖精ちゃん、中途半端なこと言わないでよ。一体どっちなの？」

少し憤慨気味の愛美に妖精が言った。

「人間の頭脳は実に複雑で、まだ脳の能力は少ししか解明されていないのよ。思考力等、人間が考える時には前頭葉が働くらしいのだけど、各個人の考え方は違っていて、人間の能力を遥かに超えた力を『神様』と考えている人もいるし、『神様』じゃなくて、超人間のエネルギーであっても、必ず科学力によって解明可能なエネルギーだと考える人もいると思うよ」

妖精はさらに考えて加えて言った。

「つまり両方とも正しいのよ。前頭葉を働かせて、超人的エネルギーは神様だと考える人にとっては、神様がいることになり、そのように考えずに、神様というのではなく、自然のエネルギーも宇宙のエネルギーも単なるエネルギーであって、将来は科学力によって解明できると考える人もいるのだと思うよ。まりちゃん、あみちゃん、もう一度宇宙全体を考えてみるね。青空を見ていて」

青空にプラネタリウムの映像が浮かんだ。

ビッグバンで宇宙が誕生したのが約一三八億年前で、その後混沌としたカオス状態が続き、渦を巻きながら爆発した物体が衝突しながら恒星や惑星等を造っていった。原始地球の誕生が約四六億年前であり、恒星の太陽を中心とした太陽系の中の八つの惑星の一つが地球で、熱く燃えていた原始地球が段々と冷えていき、雨が降り続き海ができていった。海の中に生命の源の微生物が誕生し、植物や動物が出現し進化していった。宇宙には地球のような惑星は無数にあるので、地球以外にも生命が存在する可能性はあるが、現在のところまだ地球以外に生命は発見されていない。地球は生物にとって、本当に恵まれた唯一の惑星である。

そしてその地球の周りを、約一か月かけて衛星の月が回っている。地球の衛星はこの月の一つだけである。現在では木星の衛星は六〇個以上も発見されているらしい。一七世紀にはガリレオ・ガリレイがあの望遠鏡でイオとエウロパとガニメデとカリストの四つの木星の衛星を発見している。太陽系の惑星は水星、金星、地球、火星、木星、土星、天王星、海王星の八つである。明けの明星と呼ばれる金星は地球からでもよく見られる。火星は他の惑星と比べるとかなり赤っぽく見える。木星は地球より一一倍も大きいので金星と同じように、地球からでもよく見られる。水星や土星も裸眼で見られるが、土星のリングは望遠鏡で見ることができるらしい。そのような惑星は太陽系のものだけに見られるが、太陽以外の無数の恒星にも無数の惑星が公転している。

太陽系はブラックホールを中心とした天の川銀河の端を公転している。天の川銀河の直径は約一〇万光年もあるらしいので、その円周は約三一万光年だろうから、ホモサピエンスといわれる現生人類が地球上で生活するようになって、地球という惑星は、まだ天の川銀河の一部しか旅していないのではないだろうか。天の川銀河の中には、プレアデス星団やケンタウルス座の球状星団のような恒星の集団、オリオン座のオリオン星雲や、さそり座のバタフライ星雲のような雲のようなガスの集まりもあるらしい。そしてさらに、天の川銀河の外側に、アンドロメダ銀河、かみのけ座の方向にある銀河、うみへび座の方向にある銀河、ステファンの五つ子銀河等があり、大宇宙は想像を絶する大きさで広がっているらしい。

我々人間の一生が約一〇〇年だと考えると、宇宙では永遠の時間が流れ、永久に広がり続けている。

青空に映るプラネタリウムのような映像が止まり、妖精が聞いた。

「まりちゃんとあみちゃんの体内時計の様子はどうなの？」

それを聞いて、真理が言った。

「妖精ちゃん、体内時計って何？」

妖精が言った。

「植物は、太陽の光の長さや気温によって、季節を感じ取って花を咲かせたりするじゃない。そして動物には体内時計が備わっているのよ。それぞれの動物が生活している地域によって、そこで生きている動物には、その場所に適した体内時計を備えているのよ。人間だって、体内時計はあるのよ。体全体で、一日の時間を計算しているの。でもね、人間は夜にも電気を使って、明るい中で生活しているじゃない。夜にテレビを観る人もいるじゃない。夜、目に明るい光を浴び過ぎると、体内時計が狂ってしまうのよ。ましてスマートフォンの夜の使用は絶対に駄目よ。人間にとって一番大切な光は、実は太陽の光なのよ」

妖精の話を聞いて愛美が言った。

「妖精ちゃん、まりちゃんも私もみんな体内時計を持っているのね。小学生の頃から言われていた『早寝、早起き、朝ご飯』が大切で、昼は太陽の光を浴びることが大切だということなのね。まりちゃん、私たちの体内時計も正確に働くといいよね」

三

二一世紀の現在までに、人類は非常に優秀な人びとの弛(たゆ)まぬ努力や研究によって、科学を発展させてきている。コンピューターから人工知能まであらゆる技能を駆使し、二〇世紀までは考えられなかった、目まぐるしいまでの発展を遂げている。そして、さらなる自然の不思議や宇宙の不思議を解明していくだろう。しかし、自然のエネルギーや宇宙のエネルギーは、まだまだ現在の科学で解明できないほどの大きな力を持っている。

プラネタリウムのように空に見えていた映像が消えて、青空には雲が流れ、小鳥が飛び交っている。妖精が言った。

「天の川銀河は想像を絶する大きさじゃない。大宇宙には天の川銀河のような銀河が他にもたくさんあることは分かっているけど、すべてはまだ解明できていないのよ。太陽系の中に美しく輝く碧い地球があり、他の生物とともに人類も生きているんだけど、人間は今、地球温暖化で貴重な地球を壊そうとしているんじゃない？」

真理も愛美も同意して、真理が言った。

「私たちは今、草の上に寝転んで、青空を見上げているじゃない。草や木の葉等の植物は空気中の二酸化炭素を吸収して、太陽の光を浴びて光合成をして、酸素をつくって空気中に排出しているよね。空を飛んでいる鳥や他の多くの動物は、科学とは関係なく、食物を探して食べて、その子孫を残していっているじゃない。しかし、私たち人間は科学を発展させてその成果を利用して便利で快適な生活を続け、満足することを知らず、人間の世界には無かった疫病に苦しみ、地球の環境を悪くしていっているのよね。こんなことでいいのかなあ」

愛美も空の鳥を見ながら言った。

「そうよね。鳥は何も気にせずに飛んでいるよね。私たち人間って、自分たちのことだけじゃなく、自然全体を考えるべきだよね」

約四六億年前の原始地球に微惑星が次々と衝突して地球は大きくなり、エネルギーが熱となり、原始地球はドロドロのマグマの海に覆われていた。鉄やニッケル等の重い金属は地球の中心へと沈んでいき核となり、中心部が内核、その周りが外核となった。内核の温度は約六〇〇〇度C。これは太陽の表面の温度と略同じである。太陽は水素の大きな塊で、水素がヘリウムに変わる時エネルギーが光や熱として放出され、中心部は約一六〇〇万度Cにもなる。太陽は恒星であって地球は惑星なので、両者はまったく違うが、太陽から約一億五〇〇〇万キロメートル離れた距離が、ちょうど地球上に生物が発生し成育していくために最適の距離だった。何か不思議な宇宙エネルギーの関連性が感じられる。内核の周りの外核は約三〇〇〇度Cから約五〇〇〇度Cで、圧力が約一四〇万気圧以上となり、内核では約四〇〇万気圧にもなるので、地上の人間からは考えられないほどの高温と高気圧になっているということになる。外核の周りが下部マントルで、その周りが上部マントルとなっている。下部マントルの深さが二九〇〇キロメートル、上部マントルが深さ六七〇キロメートルくらいまでとなっている。そのマントルはゆっくりと対流運動を行っていると考えられている。そしてその周りにモホロビチッチの不連続面といわれる密度が急に変わる面があり、その周りが下部地殻、その上が上部地殻といわれ、地殻は大陸地殻と海洋地殻とに分かれている。

　この現在の地球になるまでに、ドロドロのマグマ状態だった原始地球に数億年もの間、次々とたくさんの微惑星が衝突していった。そのような微惑星や小惑星が水や生命の源を運んできたという説もある。誕生から六億年もかかってマグマオーシャンだった原始地球も少しずつ冷え始め、原始大気中の水蒸気が雲となり、雨を降らし続け、段々と水で地表の岩石も冷やされ、水が窪地に溜まり、遂に原始の海ができていった。そして、その原始の海の中に、蛋白質の元になる物質が溶け込んでいて、化学変化をして、遺伝子を持つ細胞ができて生物が誕生した。そのようにして、微生物のような生命が約四〇億年前、海の中で誕生しただろうと一般的には考えられている。

古い型のバクテリアが下等藻類の藍藻類へと進化し、地球上に酸素を放出していった。海の中では原始的な植物が進化していき、次に原始的な動物が誕生し進化を続けていった。そして植物も動物も陸上へとあがり、さらに進化を続けていった。

先カンブリア時代が約五億四二〇〇万年前までらしい。古代バクテリアのようなものから進化した藍藻類が光合成でもって、地球に酸素を放出し続けていった。原始地球に雨が降り、酸素が満ちていき、段々と生物が生きていける地球となった。カンブリア紀、オルドビス紀、シルル紀、デボン紀、石炭紀、ペルム紀と続く古生代が約二億九一〇〇万年続き、その間に水中の生物から陸上の生物まで進化を続けていった。トリアス紀、ジュラ紀、白亜紀と続く中生代が約一億八五〇〇万年続き、恐竜が繁栄していた。しかし、六五〇〇万年前、恐竜等大量の生物が絶滅した。隕石衝突による恐竜絶滅説がある。メキシコのユカタン半島のチュクシュルーブに直径二〇〇キロメートルの範囲で巨大隕石が衝突した痕（あと）がみつかっている。それが原因かどうかは分からないが、一般的に巨大な隕石が衝突して大爆発を起こし、粉塵（ふんじん）が空を覆い、太陽の日射が遮ぎられたと考えられる。

　その後、約六六〇〇万年前に第三紀といわれる新生代となり、約二六〇〇万年から第四紀といわれ、人類の祖先がいただろうといわれている。人類は猿人、原人、旧人と進化し、二〇〇万年前頃には火を使用していたのではないだろうかといわれている。ホモサピエンスといわれる現生人類が約四万年前だろうといわれているが、我々人類を約四万年前と考えるか、それとも約二〇〇万年前と考えるかは科学者によっても違うようである。ところが一説によっては、人類の起こりが七〇〇〇万年前だといわれたりするので、猿人時代、原人時代、旧人時代、新人時代をどのように考えるかによっても違うようである。また、別の説によると、七〇〇万年前、アフリカで二本足で歩き始めた猿人が中東へ進み、ヨーロッパやアジアへと広がっていったといわれている。地球の陸地も絶えず変化を続けているので、現在は島となっている陸地も、昔は大陸と陸続きだったともいわれている。脳の容量も猿人、原人、旧人、新人とでは、かなり違ったようである。火を熾し、道具を使い、狩りの技術を発展させ、毛皮で体をまとうようになり、寒い地方へも人類は広がっていったといわれている。

生物環境にとって厳しかった出来事の一つに氷河時代がある。先カンブリア時代やデボン紀や古生代の二畳紀にも氷河時代があったといわれているが、それらの時代は、まだ人類誕生以前だったようである。しかし、氷期と間氷期が繰り返された第四紀洪積世には、きっと人類の祖先が生存していただろうと思われ、厳しい環境だったようである。

現在の地球上でも自然災害は続いている。火山の噴火、地震、津波、台風、洪水、雷雨等災害の脅威は続いている。しかし地球は、原始地球の時代はマグマオーシャンの火の惑星であったし、大陸が出現した後でもマントル内にスーパーホットプルームといわれる熱の上昇があったり、大陸内部の大爆発や噴火があったりして、今の比ではなかったようである。古生代から中生代へ向かう約二億五〇〇〇万年前や中生代から新生代へ向かう約六五〇〇万年前には、天変地異が起こり生物の大量絶滅が発生したといわれている。その頃はまだ人類は誕生していなかった。

人類の祖先が地上に現れ、進化を続け、今の新人類が文化や科学を発展させてきたが、なんと昔より安定してきている地球上で、今度は人類が大気汚染や酸性雨やオゾンホールの破壊や有害な化学物質の使用をしたりして、地球の環境を壊している。プラスチックやアスベストの使用、塵（ごみ）の出し過ぎで川や海は汚染され続けている。絶滅が危惧される動植物も多く、既に絶滅してしまった生物も多い。フロンガス等の使用でオゾン層が壊される。化学肥料を使うことで酸化チッ素が増える。ガス田開発でメタンガスが発生する。工場の排煙や自動車の排気ガスで二酸化炭素が増える。森林を開拓し農地へと開墾していくと砂漠化していくこともある。地球の温暖化は、人間が自分たちの便利さを求めているからではないのだろうか。しかし、自然の災害は大変であることは確かだが、太陽の光、空が曇って降る雨、植物が二酸化炭素を吸収し、酸素を送り出していること等自然から与えられている恵みは、人類にとって本当に有り難いものである。

真理と愛美は、地球の各地での大変な環境汚染の様子を見ていた。

妖精は次に、世界の美しい風景も、真理と愛美に紹介することにした。

赤道周辺の島々や美しい海。海は本当に青く輝いていた。世界の各地には、まだまだたくさんの美しい風景が残っているといわれるが、まだ北極も南極も氷で美しい。妖精が言った。

「こんなに美しい場所も多いのだから、今よ。今が大切なのよ。この美しい地球を守り、もっと本来の地球の美しさに戻すべきだと思わない？」

まだ残されている世界の美しい風景を見ながら、真理と愛美は感動し、こんなに美しい地球を守っていきたいと思った。妖精が言った。

「まりちゃん、あみちゃん、二人は汚染された空気中で呼吸するのと、綺麗な空気中で呼吸するのとでは、どちらがいい？」

二人は同時に答えた。

「それは当然、綺麗な空気がいいよね」

そう言って、二人は顔を見合わせた。

「じゃ、人間の呼吸を説明するね」

と妖精は言って、また、青空の中に人間の心臓や肺等の内蔵を映し出した。

体全体を流れてきた血液は、静脈を通って心臓の右心房に帰ってくる。そして右心室を通り、肺動脈を通り、肺へと送られる。この時の血液には体内の老廃物が含まれている。体の各部分から二酸化炭素を回収してきている。そして酸素が少なくなっている。二酸化炭素が多くなっている血液は肺を通過していく。

鼻や口から吸い込まれた空気は、気管を通り、肺へと入っていく。肺では肺胞の血管が二酸化炭素を放出し、酸素を取り込む。真理と愛美が言ったように、酸素の多い綺麗な空気が良いのは当然のことだ。酸素を取り込んだ血液は肺動脈を通って心臓の左心房へ帰ってくる。そして左心室を通って動脈を通して体全体へ、酸素が多くなった血液を運んでいく。動脈から流れていく血液が、体全体の各機能を生き生きと活動させる。

青空に映し出された血液の映像を見た真理と愛美は、本当に地球の環境が良くならないと、すべての生物が健康的に生きていけないと思った。

真理が妖精に聞いた。

「妖精ちゃん、人類はもうすぐ宇宙旅行を始めるし、月に基地を造り、火星にも進出していきそうじゃない。でも、宇宙空間や月や火星には空気は無いんでしょう？」

妖精は少し考えて言った。

「昔は火星には水があったかもしれないといわれているけど、現在の火星や月では、人間が生活していける状態ではないわよね」

愛美が言った。

「地球をもっと綺麗にする方がいいよね」

四

昔、人類は他の動物と比べると弱かったが、頭脳が優れていた。人類は強い動物に負けないように工夫を重ねていった。二足歩行をする人類は手を使って道具を作っていった。そのような生活の中で、火の発見は大きかった。人類が自分たちの生活の中で、火を使用することで、体力面で強い動物が人類に近づけなくなった。人類の歴史の中で、集団で文明を発展させていくことになっていく。約五〇〇〇年前、世界各地で文明が発生していき、人類の力が大きくなっていく。

エジプト文明、メソポタミア文明、インダス文明、中国文明は古代の四大文明といわれている。大西洋を隔てて、アメリカ大陸では、アステカ文明、マヤ文明、インカ文明等が古代文明として遺跡が残されている。

世界中で文明文化が発展していくが、古代から多くの優秀な人びとの努力が重ねられて、人類の科学が一歩一歩前進していった。

愛美は発展している科学を考えながら言った。

「まりちゃん、妖精ちゃん、人間の歴史を振り返ってみると、世界中にはたくさんの偉人がいて、いろんな発明や発見があって、科学も進んでいって、本当に便利な世の中になっているよね」

真理も同感して言った。

「人類の誕生以前の地球の陸地は、今とは違っていたんでしょう。少しずつ変化してきたし、今後もまだまだ変化していくんでしょう。昔の人びとは、厳しい生活の中で、火や道具を使って狩りをしたり、農耕をしたり、牧畜をしたり、海で魚を捕ったりして、なんとか生きてきたのよね。そして集団で文明を発展させていき、都市まで造っていったのよね」

愛美が真理の後を続けた。

「そのようにして古代文明を誕生させていったってことね。ティグリス川とユーフラテス川に挟まれたメソポタミアにメソポタミア文明が出現したのが、紀元前三三〇〇年頃だったよね。エジプトのナイル川流域にエジプト文明が出現したのは、同じく紀元前三〇〇〇年頃だったと思うよ。インドのインダス川の中流や下流域でインダス文明が出現したのが、紀元前二五〇〇年頃だったんだと思う。四大文明のもう一つが中国文明だけど、中国文明の起源ってはっきりしないのよね」

「そうなのよ」と真理が言って、後を続けた。

「中国では約一万年前には長江流域で稲が栽培されていたらしいし、黄河流域では粟（あわ）や黍（きび）も栽培されていて、豚が飼育されていたと聞いたことがあるよ」

それを受けて、愛美が続けた。

「でも、貧富の差や格差も生じて、争いも起こっていたんでしょう」

真理も頭を縦に振って言った。

「昔も今も一緒ね。どうして人間って、いつの時代も喧嘩をするんでしょうね」

妖精が言った。

「私は今、日本に来てるじゃない。でも、私たち妖精はヨーロッパやアメリカ等の出身のことが多いの。ユダヤ教やキリスト教やイスラム教では、人間は原罪を持って生まれてくると考えているの。インドやアジアのことは、あまり詳しくないんだけど、仏教では、人間には一〇八の煩悩があるらしくて、貪欲、瞋恚（しんに）、愚痴（ぐち）を三毒と言うらしいの。貪欲は欲深く、お金や物を欲しがること。瞋恚は怒りや恨み。愚痴は道理にかなっているかいないか区別のつかない愚かさといわれているけど、人の悪いことを言って、相手の人を苦しめることとも聞いたことがあるよ。だから、良い人も多いんだけど、多くの人が生まれながらに、煩悩を持っているんだと思うよ」

愛美はそれを受けて言った。

「日本は太平洋戦争終了後、外国とは戦争をしていないけど、国内では、いろんな対立がいろんな所で起こっているものね」

と、愛美に真理も同意した。

妖精はまた、青空に別の映像を映しながら、歴史上の偉人等の話を始めた。

「歴史を振り返ると、世界中でたくさんの偉人たちが、いろんな発明や発見をしてきているじゃない。その結果として科学も発展してきているのよね」

真理がそれを受けて言った。

「科学の発展によって、今では本当に便利な世の中になっていると思うよ」

紀元前の四大文明が出現した頃は、まだ現在のような科学的な考え方は進んでいなかった。人類を囲んでいた自然は、本当に驚異的なものだったと思われる。自然は恵みを与えるばかりではなく、恐ろしいものでもあった。人類が脅威を感じていたのも当然だった。恵みと脅威の両面を持つ自然を、人類は尊いものとして、畏(おそ)れ敬(うやま)った。自然のエネルギーの巨大さは、人類の力を遥(はる)かに超えていたので、世界各地で多くの神々の信仰へと繋がっていったのではないだろうか。多神教は世界中で出現している。

しかし、一神教の宗教も人類は出現させている。三大宗教の一つ仏教は紀元前六世紀頃釈迦が開いた。誕生地ルンビニは現在ではネパールとインドの境に当たるようである。その教えは、人はみな平等で、心の迷いを取り除くことが大切であり、中道の生き方に悟りを開いたようである。中道とは右に寄ったり左に寄ったりせずに、中間を行くのが良いということだ。右翼は軍国主義や国粋主義で、自分の国が世界で一番立派な国で、他国は劣っていると考える。左翼は急進的な考え方をする集団で、保守的であってはいけないと考え、速い変化を主張する。人間の生活の仕方においても中道が良いようである。酒池肉林の贅沢な生活ばかりしてはいけないと考える。酒池肉林とは、中国の『史記』にあり、酒を飲みたいだけ飲み、美味しい肉を食べたいだけ食べる贅沢を言う。中道とは質素倹約な生活をしながら、時には美味しい食事もいいのではないかという生活の仕方なのだろう。いろんな面で、仏教は中道が良いと主張している。そして、釈迦は、人間を慈悲の心で見守っていると説いている。

次に一神教の一つにキリスト教がある。ヨーロッパやアメリカで布教が広がっている。イエス・キリストが、神の前ではすべての人が平等であり、原罪を持つ人間も悔い改めて、良い行いをすれば、神の愛によって、すべての人が救われると説いている。イエスの生誕地はエルサレムのベツレヘムだといわれている。西洋暦では、キリスト誕生前が紀元前であり、誕生後が紀元後である。教えの中心は神の愛であり、神の愛によって人類は誕生しているので、人は唯一の神を愛し、隣人も自分と同じようにお互いに愛情でもって生きていくようにと教えている。

次に三つ目のイスラム教はムハンマド（マホメット）が説いている。生誕地はサウジアラビアのメッカである。誕生は紀元後の七世紀の初め頃である。イスラム教でも、仏教やキリスト教と同じように、神の前ではすべての人が平等であると説いている。

仏教では、人はどのように生きていくべきか問う哲学のようである。キリスト教やイスラム教では、唯一神を信じ、その教えはユダヤ教からキリスト教へ、次にキリスト教からイスラム教へと続いている。

妖精が青空に映していた宗教の映像が、次には日本の旧石器時代の映像に変わった。

日本では旧石器時代には、食用植物の採取と食用の狩猟が行われていた。次の縄文時代は約一万三〇〇〇年前から約二五〇〇年前までで、木の実を採取したり食用植物の栽培をしたりしていた。小家族が集まってできた集落もあったようである。日本の外の中国大陸では農耕社会が成立していて、朝鮮半島を経由して日本に農耕が伝わってきた。紀元前四世紀頃、日本でも稲作が行われるようになり、弥生時代が紀元後三世紀の中頃まで続いた。

　弥生時代後半になり、日本の歴史も段々と記録に残るようになってきた。紀元後二三九年頃、卑弥呼(ひみこ)が邪馬台国(やまたいこく)の女王として、中国の魏(ぎ)の皇帝に使いを送っている。古墳時代には前方後円墳等の古墳が西日本を中心としてたくさん造られるようになり、その頃が大和政権といわれている。

　日本の歴史に、中央政権にとって重要な人物が現れてくることになる。五七四年に誕生し、六二二年に亡くなったといわれる厩戸王(うまやとおう)である。厩戸王を中心とした人びとが中央行政機構、地方組織の編成を進めた。つまり日本という国家組織の形成を進めていったことになる。

　では厩戸王とは一体誰なのか。厩戸という発音は馬屋戸とも聞こえるし、馬宿とも聞こえる。厩舎(きゅうしゃ)とは馬小屋と同意である。エルサレムのベツレヘムで生誕したイエス・キリストは父ヨゼフと母マリアに守られて、旅の途中に馬小屋で生まれ、飼い葉桶に寝かせられたといわれている。このことと厩戸王との名前が関係するかどうかは知らない。六〇三年に冠位十二階、翌六〇四年に憲法十七条が制定された。厩戸王とはまさしくあの聖徳太子である。聖徳太子は、日本の政治理念として仏教精神を取り入れていった。その後、仏教は日本人の精神的支柱となり、日本人が人として生きていく基本的生活真髄を成していくことになる。現存する世界最古の木造建築である法隆寺の五重の塔や金堂等が建てられることになる。飛鳥地方を中心とする飛鳥時代から奈良時代へと進み、その後京都地方を中心とする平安時代へと政権が変わっていく中で、日本独自の仏教が発展していった。

仏教の開祖釈迦は、老、病、死等の人びとの心の悩みを解く解脱の道を説いたといわれているが、紀元前六世紀頃ということなので、日本に伝わるまでに約一〇〇〇年以上も経過している。日本に仏教が伝来した頃に、中東ではムハンマドがイスラム教を開いている。西暦六一〇年頃といわれている。

日本の歴史に戻ると、奈良時代には東大寺の大仏や正倉院等が創建されている。また、中国の唐から僧侶鑑真を招き、寺院や僧の制度を整えている。他にも行基は仏教を広め、寺院を建てたりもしている。次の平安時代には一〇五三年頃、平等院鳳凰（ほうおう）堂が建立されている。代表的なものでは、最澄が比叡山（ひえいざん）延暦寺を建て、天台宗を広めた。空海は高野山金剛峯寺（こんごうぶじ）を建て、真言宗を広めた。

鎌倉時代になって、法然が浄土宗を開いた。大衆には難しいことの理解が困難だということなのか、南無阿弥陀仏（なむあみだぶつ）と唱え、阿弥陀仏の救いを求めることを多くの苦しむ人びとに説いていった。親鸞（しんらん）は浄土真宗を広めた。悪人は自分の罪を自覚し、阿弥陀仏を信じることで救われると説いた。一遍は時宗を広めた。各地を歩いて念仏の札を配り、念仏を唱えることを勧めている。日蓮は日蓮宗を開いた。栄西や道元は禅宗を伝えた。座禅を組んで、静座して沈思、黙念し、無心の境に入る行法で修業するという。

紀元前六世紀頃釈迦が仏教を開き、西暦となった頃にイエス・キリストがキリスト教を開き、西暦六一〇年頃ムハンマドがイスラム教を開き、それぞれの宗教は世界中に広がっていった。現在も過去も、人びとは幸せな生活を願っていても、なかなか各人の望む幸せの実現は難しく、大変で苦しい人生だったのだろうと想像される。人びとが救いを求め続けてきたことは当然だと思われるが、現実の人間の社会では、昔も今も闘争の連続である。古代ギリシア時代でも古代ローマ帝国時代でもオリエント時代でも、各地で闘争があった。世界が現代に近づいてきても、ヨーロッパ、インド、東アジア、西アジア、北アジア、南アジア、北アメリカ、南アメリカ、ロシア、アフリカ、オセアニア等どの国においても、戦争が繰り返されて、国境も変化されてきた。

多くの闘争や人間関係の苦しみから、宗教によって救われてきた人びとは多かった。しかし、芸術によっても多くの人びとが救われてきたのも確かだ。芸術には、彫刻、絵画、建築、舞踊、演劇、音楽、詩、小説、戯曲等があり、美の創作や表現は芸術と言えるのではないだろうか。一般的に絵画や音楽を芸術と言っているが、ピラミッドのような建築物も芸術と言っていいのだろう。感動を与えたり、美しいと感じさせる絵画や音楽は確かに芸術の名に価する。しかし、見るに堪えない絵画や聴くに堪えない音楽も存在していることも確かだ。でも、大きく考えてみると、長い歴史の中で、多くの芸術家が、素晴らしい傑出した芸術作品をたくさん残している。

妖精は、真理と愛美の頭上の青空に、ラスコーの洞窟(どうくつ)壁画を映し出した。フランスラスコーには約一万五〇〇〇年前に描かれた洞窟壁画が残されている。そこにはたくさんの動物たちが描かれている。

次に、古代エジプト文明は紀元前三〇〇〇年くらいから始まっただろうと考えられているが、長いエジプト文明の中で石造りのピラミッドが築かれている。次に、紀元前五世紀頃のギリシア文明では、あの美しいパルテノン神殿が建設されている。

日本でも古く美しい建築物がたくさんある。法隆寺、正倉院、平等院鳳凰堂、東大寺、鹿苑寺金閣、慈照寺銀閣等の建築物は実に美しい。仏像も美しい。興福寺阿修羅（あしゅら）像、東大寺の大仏、阿弥陀如来像、金剛力士像、鎌倉の大仏等の仏像が造られているが、日本だけでも実にたくさんの美しい仏像が、奈良や京都を中心として各地で建造されていった。

世界中で、歴史上たいへん貴重な建築物や彫刻が残されているが、世界を代表する絵画は、もっと多く残されている。

妖精は、次に、「モナリザ」を映し出した。イタリアルネサンスでの科学者、技術家、思想家でもあるレオナルドダビンチは美術家でもある。「モナリザ」や「聖母子と聖アンナ」や「最後の晩餐（ばんさん）」等が有名である。

ミケランジェロの「最後の審判」はシスティーナ礼拝堂に描かれている。ミレーの「落穂拾い」や「晩鐘」は、当時の地元の人びとの労働や祈り等静かな敬虔(けいけん)深さが描かれている。ルノアールやモネの絵画は日本でも人気がある。

音楽も多くの人びとの心を豊かにしてくれている。ドイツの作曲家バッハやヘンデルやベートーベン、オーストリアの作曲家ハイドンやモーツアルト等は非常に有名である。クラシック音楽だけでなく、現在でも幅広いジャンルの良い音楽がたくさん作曲されている。

芸術や宗教や娯楽等人びとの心を豊かにしてくれる分野があるからこそ、闘争の絶えない人類の歴史の中であっても、人びとは希望を持って生活を続けてきているのではないだろうか。

自然は人類に恵みだけを与えてきたのではない。自然災害のように、人類に大変な被害をもたらしてきている。人類は災害を乗り越えようと科学技術を発展させて、さらにより快適な生活を追求し続けてきている。

妖精は、次に一七世紀から一八世紀にかけて活躍したニュートンを映し出した。

一六四二年に誕生し一七二七年に死亡している自然科学者のニュートンは、天体観測をして万有引力の法則を発見し、近代物理学の基礎を打ち立てている。

他にも、科学の発展に関して、たくさんの人びとが努力している。一八世紀の初め、蒸気によってポンプが動かされ始め、一七六九年にワットが蒸気機関を改良している。一八一四年にスティーヴンソンが蒸気機関車を製作し、一八二五年に実用化され、一八三〇年には旅客鉄道が開通している。

二一世紀の現在までの約三〇〇年で大変な科学技術の発展と実用化が進んでいる。木造の手漕ぎの舟は古代から利用されていたが、科学を使った蒸気船は一八〇七年に造られている。船の次に自動車が出現している。それ以前は、馬車を利用して人や物を運んでいた。蒸気によって走る蒸気自動車も出現したが、あまりうまくいかなかった。石炭ガス燃料の内燃機関を製作したり、ガスエンジン、液体燃料エンジンを製作したりしているが、うまくいかず改良を重ねていった。その後一八八五年ドイツのダイムラーとベンツがガソリン自動車を開発し、次々と自動車に改良が加えられていった。一八世紀後半の産業革命時代から約二五〇年で、海や陸を走る乗り物が、非常に便利になったが、二一世紀の現在、環境汚染と地球の温暖化をもたらしている。

陸と海を制覇した人類に残されたのは、空の制覇だった。人は昔から、鳥のように自由に空を飛びたいと思っていたようである。グライダーは、かなり昔から高地から低地へ、空を滑降するのに使用されていたと思われる。少し以前からのようだが、気球や飛行船も開発されていて、多くの人びとが空を飛んでいる。一八五二年フランス人のジファールが飛行船で飛行を実行している。ところがその後、実に画期的な出来事が起きた。一九〇三年アメリカのライト兄弟が飛行機による動力飛行を成功させたのだ。

二〇世紀にはプロペラ飛行機からジェット飛行機へと進化し、そして遂に地球を離れて宇宙にまで、ロケットを打ち上げることになった。ソビエト連邦とアメリカが宇宙に向かってのロケット発射で競争を繰り広げる。一九五七年にソビエト連邦が人工衛星スプートニク一号を打ち上げた。その一か月後には犬を乗せた二号機を打ち上げている。それに対し、アメリカは一九五八年に人工衛星エクスプローラー一号を成功させた。そのようにして米ソでの宇宙開発競争が始まった。ソビエト連邦が先行した。一九六一年ソビエト連邦のガガーリン少佐が、人類史上初めて地球圏外へと出て、宇宙空間を飛行し「地球は碧（あお）かった」という有名な言葉を残している。一九六九年アメリカは、アポロ一一号でアームストロングを船長として、そのチームメンバーで月面着陸を成功させ、月の石を地球に持ち帰った。

その後、ヨーロッパでもロシア、中国でも、そして日本でも、たくさんの人工衛星を打ち上げている。日本の小惑星探査機「はやぶさ2」は、小惑星リュウグウまで行って、カプセルにリュウグウの試料を入れて持ち帰っている。もう数年もすると中国やアメリカが月に基地を造り、現在は宇宙ステーションで行っている実験等を月でやったり、月旅行を実現させそうな状態になっている。ライト兄弟が飛行機で空を飛んだのが一九〇三年、ガガーリン少佐が宇宙へ行ったのが一九六一年、その間が五八年。アームストロング船長たちが月に降り立ったのが一九六九年、その後六〇数年で人類は月に基地を造ろうとしている。

約七〇〇万年前の猿人が原人へ旧人へと進化し、約二〇万年前に現生人類（新人）が誕生して、人類は地球上で一歩一歩、生活を続けてきた。そのような人類の歴史からすると、一般科学だけでなく、宇宙科学の進展は驚異的な速さで進んでいる。その礎は、昔からの偉大なたくさんの科学者たちの弛(たゆ)まぬ努力と実験の積み重ねの結果である。

一六世紀の中頃、コペルニクスが地動説を唱えたが、ガリレオ・ガリレイも地動説が正しいことを証明している。その後、一七世紀の中頃から一八世紀の初めにかけて、ニュートンが数学や力学で偉大な業績を残している。そしてニュートンは一六六五年には万有引力の法則を発見している。ニュートンの後でも科学は日進月歩で発展していく。

一九世紀にはアメリカの発明家エジソンが、次々と発明を続けていき、一八七九年に電球の実験に成功した。その頃スウェーデンの発明家ノーベルは一八六七年にダイナマイトを発明した。しかし、ダイナマイトが戦争に使われてしまい、多くの死傷者を出してしまった。そのことに心を傷めたノーベルは、世界の平和と科学の進歩を念願して、一九〇一年からノーベル賞が設けられることになった。その頃ポーランドでも、科学研究の結果発表があった。ポーランドのマリー・キュリーと夫のピエール・キュリーは放射能の研究を続け、放射能の科学的確立が認められ、一九〇三年に二人にノーベル物理学賞が贈られている。

さらに、ドイツ生まれでアメリカに亡命した偉大な科学者が、ガリレオやニュートン等とは違った科学的思考の発表をすることになった。理論物理学者のアインシュタインである。アインシュタインは一八七九年にドイツのウルムで生まれている。一九〇五年に特殊相対性理論を発表し、一九一五年には一般相対性理論を完成させている。一九二一年「理論物理学に関する貢献に対し、とくに光電効果に合致する法則の発見に対して」という理由でノーベル物理学賞の受賞が決定した。

一九〇一年にノーベル賞が設定されて、世界中の偉大なる科学者たちが受賞しているが、日本では、理論物理学者の湯川秀樹が一九四九年にノーベル物理学賞を初めて受賞した。太平洋戦争で敗戦した戦後の日本に非常な希望と喜びをもたらした。その後、日本人の受賞は、様々な部門で続いている。

ノーベル賞でなくても、科学に関する成果には目まぐるしいものがある。そしてさらに、人類の世界中での科学の発展は日進月歩で進み続けている。そのような経過を辿り（たど）ながら、我々人類は二一世紀を迎え、それぞれの各個人における日々の生活を営んでいる。

妖精は、一〇〇年以上にもなるノーベル賞の受賞者の様子を、真理と愛美が見上げる青空に次々と映していった。

五

妖精は、最近の新型コロナウイルスについて、真理と愛美に尋ねた。

「まりちゃん、あみちゃん、二人はコロナウイルスについてどう思う」

真理は少し考えて言った。

「新型コロナウイルスは二〇二〇年に、中国のブカンから発生したんだったよね」

愛美も少し考えながら言った。

「中国は時々、国外に知られたくないことは秘密にすることがあるから、コロナの発生は二〇一九年だったかもしれないよ」

二人とも、発生時は知らなかったが、真理が言った。

「あの頃は、中国周辺で終息すると思っていたけど、二〇二〇年には世界中に広がってしまったよね。日本も東京を中心として大変な状態が続いたけど、ヨーロッパやアメリカやブラジルやインドは、日本よりもずっと多くの人びとが感染したんでしょう」

「そうだったよね」

と、愛美が受けて言った。

「二〇二一年になって、アメリカのファイザーやモデルナ、イギリスのアストラゼネカ等のワクチンが、各国で接種されるようになって、沈静化していくと思ったんだけど、今度はコロナの変異株が発生してきたんでしょう」

それに対して真理が言った。

「コロナの変異株は感染力が、もっと強いらしいよ。イギリスやブラジルや南アフリカで変異株が発生しているけど、日本にはイギリスの変異株が多くなっているんだって」

真理と愛美の対話を聞いていた妖精が言った。

「まりちゃん、あみちゃん、中国の古典に『孫子』というのがあって、その中に『呉越同舟』という故事があるの。中国の春秋時代に呉という国と越という国は仲が悪くて、激しく戦っていたんだって。暴風の時に、同じ舟の中に呉の国の人と越の国の人が乗り合わせていたんだけど、両国の人は協力して、助け合って暴風から身を守ったんだって。この故事は、仲の悪い者同士や敵同士であっても、共通の困難に対して協力して、お互いに助け合うことの大切さを言っているのよ」

それを聞いて、愛美が言った。

「妖精ちゃん、それって、この世界中でコロナが感染拡大している時は、世界中で協力して解決することが大切だって言っているんじゃない？」

真理も同感して言った。

「特に初めが大切だったのよ。例えば呉が今の中国なら、越は今のアメリカに当たるじゃない。中国で発生した段階で、アメリカが協力していたら、コロナの感染拡大はここまで広がらなかったよね」

妖精が言った。

「確かに、コロナに対して、初めの協力には失敗したけど、今からでも、世界中が協力していくことはできる。『呉越同舟』の精神は大切だと思うよ」

真理も愛美も、妖精が言いたいことは分かった。愛美は妖精の意を汲んで言った。

「妖精ちゃん、昔から人間は、どの国でも戦争をしてきたんだよね。悲しいかな、人間は自分が第一であって、相手を低く考えて、常に自分を優位にしたいのよね。しかし、今回のコロナウイルスのように、すべての人間にとって害をもたらす膨大な力を持っている敵に対しては、世界中のすべての人が協力して、立ち向かわなくては勝てないってことよね」

今回のコロナウイルスのような疫病が、また数年後に発生するかもしれない。一〇年前の東日本大震災のような地震や津波も、また何時発生するかも分からない。一人ひとりの防疫や防災も大切だが、人類すべてが協力して助け合うことが重要だ。

草原に寝転んでいる真理と愛美の頭上に、妖精が羽をゆっくり動かしながら空中に浮かんでいる。空は青く、時々小さな雲が流れていく。時々小鳥が飛んでいく。太陽は先ほどより少し西へと向かっているが、それでもまだ空は青く明るい。真理と愛美の妖精とのおしゃべりは、結構真理と愛美の好奇心を満足させる楽しいものだった。

真理が深呼吸をしながら言った。

「草の薫りが気持ちいいね」

愛美も深呼吸をして、草の薫りを嗅ぎながら言った。

「確かにいい薫りよね。でも科学的に考えてみると、この草原の草も、空気中の二酸化炭素とあの太陽の光を使って光合成をして、私たちの周辺に酸素を送ってくれているのよね。でも、普段はそんなことはまったく考えもしないわね」

愛美の言葉を受けて、真理はもう一度深呼吸をして、

「あっ、草の薫りの中に、酸素の香りも含まれている」

と言ったので、妖精と愛美は顔を見合わせてクスッと笑い、その後三者で声を合わせて笑った。

今度は、愛美は磁気のことを思い出して言った。

「普通に生活している時、私たちは、二酸化炭素を吐いて酸素を吸っているなんてまったく考えていないけど、磁気だって同じだよね。地球では、北極から南極に向かって磁気が流れているのに、私たちにはまったく磁気の流れなんか感じられないよね」

愛美の言葉を受けて、真理は空へ向かって両手を広げて、

「あっ、私の両手に地球の磁気が流れている」

と言ったので、また妖精と愛美は顔を見合わせてクスッと笑い、その後、また三者で声を合わせて笑った。

真理が青空を見ながら言った。

「太陽が朝、東の空から昇ったり、夕方に西の山々に沈んでいく時は、朝焼けや夕焼けとして、私たちの目には赤色の光が届くのよね」

愛美もそれを受けて言った。

「今はまだ太陽の位置が高いので、太陽の青色の光が届いて見えるのよね。太陽の光にはすべての色があって、私たちには、昼には近くで見える青色が届いて、朝や夕方には、遠くからの光である赤色が届くのよね」

真理が、愛美の後を続けた。

「夕方に向かって、少しずつ太陽が西へ向かって進んでいくので、数時間後には赤い夕日となっていくんだよね。でも科学的に考えると、太陽が西へ向かって進むんじゃなくて、実は地球が東の方向へと自転していっているんじゃない？」

愛美もハッとした表情で、地球の自転のことを思い出して言った。

「そうだよね。科学的というか、宇宙空間から見ると、確かに地球が自転しているのよ。でも、地球上の私たちからは、太陽が西に移動しているように見えるものね。磁気もそうだけど、私たちの目に見えないものの中にも、とても大切なものがあるんじゃないの」

それを受けて、真理は、他にも何か具体的なものがないかと思った。

「水には一般的に、硬水と軟水があるっていわれているじゃない。日本には軟水の地域が多いんだと思うよ。それに対しヨーロッパの多くの国では、硬水が多いのよ。硬水にはカルシウムやマグネシウムが含まれているので、日本人がヨーロッパの国を旅行して、水を飲むとお腹を壊しやすいって聞いたことがあるよ。でも、硬水も軟水も両方とも、見た目にはまったく同じの透明なのよ」

真理の発言に、愛美も「そうだ」と思い、自分たちの考えていることが、時には逆の場合もあるのだと思った。

草原に真理と愛美が寝転び、二人の頭上に妖精が浮かんでいる姿は、この三者以外には誰の目にも見えなかった。真理と愛美は思った。日本の小学生や中学生や高校生は、世界の他の多くの国々よりも、ずっと勉強できる環境に恵まれている。そして、自然のエネルギーや宇宙のエネルギー、自然の真理や宇宙の真理、自然の法則や宇宙の法則等を勉強していくことは、私たちの目先の利益のためではなく、もっと将来のためであり、私たちの人格を高めていき立派な人間となり、そのことが、やがてより良き社会を築いていく礎になるのではないか、と。二人とも、もっと自分から勉強したいという気持ちになった。

真理と愛美は、声を揃えて言った。

「妖精ちゃん、この草原を私たち二人との秘密の場所にしない。妖精ちゃん、また、ここで会いましょうよ」

それを聞いて、妖精も頷き、

「いいわねえ。私は、二人が通ってきた雑木林の中にいるから、次にも雑木林を通る時に声を掛けてね」

と言って、真理と愛美の上空を嬉しそうに羽ばたいた。

妖精と真理と愛美の上空の太陽はかなり西へと傾きかけている。妖精と真理と愛美に心地良いそよ風が吹いていた。

完

少し長めのあとがき
──本書成立の背景のこと──

一九四一年一二月八日、日本軍はハワイの真珠湾のアメリカ海軍基地を攻撃して、太平洋戦争が始まりました。この時の日本の憲法は一八八九年二月一一日に発布された、大日本帝国憲法でした。

一九四五年八月一五日、日本は降伏し、太平洋戦争は終わりました。一九四六年一一月三日に公布された日本国憲法は、一九四七年五月三日に施行されました。

日本国憲法は、戦争を放棄し、国民主権と基本的人権の尊重と平和主義の三つの柱を謳(うた)い上げています。

その中の一つ基本的人権は、人は生まれながらに等しく自由で、侵されたりすることのない権利です。個人は尊重されなければなりません。憲法第一三条では、すべて国民は、個人として尊重されると書いてあります。第一二条では、国民の不断の努力によって、これを保持しなければならないと書いてあります。平和な日本で生活する中で、言論の自由は保障されていますし、基本的人権は尊重されなければならないと思っています。

私の『景子の碧い空』と『景子の青い海』という作品は、本として出版できました。しかし、次に書いた『景子の緑の大地』という作品は、原稿のままで出版していません。この作品は寅次という景子の同級生が登場していますが、この作品が出版されていないということには、寅次にとって重要な意味があります。

この『景子の緑の大地』では、前半と後半で内容が違っています。前半は、社会人となった景子が、後輩のまだ大学生の仁美に、寅次に関することを話します。この寅次に関する内容は、寅次にとっては、今の段階では発表しない方が良いだろうと考えたからです。というのは、寅次は弁護士を立てて裁判を起こす際には、東部警察の取った行動を公表しない方が良いと考えたからです。

しかし、後半の緑の大地の中での、景子と仁美との対話は発表したいと思って、社会人となった景子と大学生の仁美という登場人物を、高校生の真理と愛美(み)という同級生の二人に変えて、発表することにしました。それが今回の『真理と愛美』です。この内容は、中学生や高校生に、もっと積極的に勉強に取り組んでほしいと思って書いているのですが、人は千差万別ですので、私も各個人の主張を大切にしなくてはいけないと思っています。

発表しないことにした前半は、憲法の三本柱の一つ、基本的人権の尊重と関連しています。前半が基本的人権とどのように関連するかは、少しはここに書かないことには、読んでくださる方にはまったく分からないと思いますので、ほんの一部だけですが、書いてみたいと思います。

※　※

寅次は大学構内の図書館周辺で、景子と会っていましたが、景子は講義の受講数が多かったので、寅次の自由時間には、近くの公園に行くことが日常となっていました。その公園の砂場で、寅次はゆう君という二歳児とそのお母さんと会うことになりました。ゆう君のお母さんが、公園で運動していた寅次をよく見ていたので、寅次は乳母車の中にいた男の子を可愛く思い、ゆう君の遊びに付き合うことになったのです。

二歳から三歳へと成長していくゆう君は寅次に親しみを持つようになっていきました。しかし、ゆう君が、まだ三歳だったその年の三月二九日を最後にして、ゆう君とお母さんは公園に来なくなりました。その後数か月間、二人が来なかったので、寅次は、ゆう君の家族は引っ越したのだろうと思いました。この時には、お母さんに東部署の警察官から寅次に会わないようにという警告があったことを知る由もありませんでした。

ところが、その年の四月になって、今度は姉の桜ちゃんと妹の桃ちゃんの姉妹が寅次に近づいてきました。トレーニング中の寅次に興味を示し、「おじちゃん、何してるの」と聞いてきたので、「おじちゃんはトレーニングをしているんだよ」と答えて仲良くなりました。四月から七月くらいまでの約四か月間、一緒に遊ぶことになりましたが、初めの頃の四月、五月には、桜ちゃんと桃ちゃんの友達が来て、みんなが一緒に遊んでいる時には、寅次はみんなが遊ぶ様子を見届けて、先に帰るようにしていました。六月くらいだったでしょうか、桜ちゃんの四年生の友達数人が来て、妹の二年生の桃ちゃんに何があったのか、桃ちゃんが泣いている時がありました。

その時を切っ掛けとして、寅次は桜ちゃんと桃ちゃんが家に帰るまで、公園で一緒に遊ぶことを決心しました。二人が公園に来るのは、土曜日か日曜日のどちらかの日に、時間は午前一〇時から一二時までの二時間に決まっていました。昼一二時のチャイムが聞こえると、寅次は二人を家の近くまで送っていき、二人が「バイバイ」と言って手を振る姿を見送ると、本当にホッとした気持ちになるのでした。

六月から七月に向かって、段々と暑い日が多くなってきました。妹の桃ちゃんが寅次に、

「おじちゃん、冷たいジュースを飲みたい」

と言うので、寅次は姉の桜ちゃんに聞いてみました。

「桃ちゃんがジュースを飲みたいと言っているけど、桜ちゃんも飲む？　桜ちゃんがいいって言ったら、二人とも飲んでいいから」

と言うと、桃ちゃんが、

「飲みたい、飲みたい、飲みたい」

と言うので、桜ちゃんも一緒に飲むことにしました。桜ちゃんと桃ちゃんはお母さんと三人の母子家庭だったので、寅次は桃ちゃんが父親に甘えているような気持ちがして、とても嬉しく感じました。桜ちゃんはりんごジュース、桃ち

ゃんはグレープジュースを選びました。

そのような日が続き、段々と暑い日が多くなってきて、桃ちゃんはジュースを一本飲んだ後に、もう一本飲みたいとねだるので、寅次は次の三つのことを二人に約束させました。

一つ、一日に一本だけ。

二つ、友達がたくさん遊びに来た時は、ジュース代金が大変なので、二人の時だけ。

三つ、ペットボトルはジュース自動販売機近くの備え付けの瓶缶入れに入れる。

この三つを約束して、夏へと向かって、毎週ジュースをご馳走して、正午まで遊ぶ日が続いていました。二人の他の友達も加わると、ボールの当て合いをしたり、鬼ごっこをしたりしていました。二人だけの時には、縄跳びをすることが多かったので、寅次が二人の跳ぶ回数を数えたりして遊んでいました。

そのような日が続いていましたが、七月の中旬くらいだったでしょうか。桜ちゃんと桃ちゃんはパタリと公園に来なくなりました。この時も、寅次には二人に何があったのか、まったく見当が付きませんでした。

夏が過ぎ、秋が訪れたある日の午後、小学校の授業が終わって下校する桜ちゃんと、寅次が偶然出会ったことがありました。寅次を確認した桜ちゃんは、道を横切り走って、家へ向かって帰っていきました。寅次は本当に悲しくなってしまいました。

次の年の四月に、桜ちゃんは五年生、桃ちゃんは三年生になりました。その年の九か月の間、学校の下校時に、桜ちゃんも桃ちゃんも、寅次とバッタリ会うことがあり、姉の桜ちゃんは段々と寅次を怖がらなくなりましたが、妹の桃ちゃんは会う度に怖がり、毎回走って逃げ帰ることが続きました。

その年のことだったのですが、数か月遡って五月頃だったでしょうか、一年以上も出会っていなかったゆう君とお母さんと出会ったことがありました。ゆう君は四歳になっていました。寅次はお母さんに挨拶をして、

「引っ越されたんだと思っていました」

と言うと、お母さんは恐れた表情で、引っ越してはいないと伝えました。その日はそのまま別れたのですが、数日後、また、ゆう君とお母さんに会ったので、寅次は思い切って、

「お母さん、ひょっとして東部警察署の人に、私に会わないように言われた

んじゃありませんか」

と聞いてみると、お母さんは急いで家へと帰っていきました。

すると、なんと次の日に、東部警察署の警察官二人が寅次を訪ねて来ました。

そして、二度とゆう君とお母さんに会わないようにと注意して、同じことがあると逮捕すると言って、署へと帰っていきました。

この時、寅次は、公園にゆう君とお母さんが来なくなったのは、お母さんに警察官が、

「あの男に会わないように」と伝えたのだと確信しました。

そして、桜ちゃんと桃ちゃんが寅次を怖がるようになったのは、東部警察の警察官が、二人のお母さんに、

「娘さん二人が公園で寅次と遊んでいるので、娘さんたちを、あの男に会わせないように」と伝えたのだと、強く思うようになりました。

公園に面した道路は、一般の乗用車や大型車の車輌やパトロールカーも通過していきます。寅次は確実に東部警察からマークされていたのです。

ゆう君はまだ四歳だったので、詳しい事情は分かっていないでしょう。桜ちゃんは、しっかりとした優しい人なので、きっと分かってくれると思っていま

す。寅次にとって辛いのは、桃ちゃんが本当に恐れていることでした。

そして、これが良いチャンスだと寅次が思った機会が来たのですが、実はそれは良いチャンスではなく、最悪の機会となってしまったのでした。

二月一四日に貰った少し高価そうなチョコレートを次の日に見ていた時、寅次の脳裏にふと、桃ちゃんが寅次にジュースをねだっていた時の、「飲みたい、飲みたい、飲みたい」と言っていた顔が浮かびました。しかし、現在は桃ちゃんは寅次をとても怖がっているので、この美味しいであろうチョコレートを、お母さんと桜ちゃんの三人で食べて貰って、寅次に対する恐れを取り除いてほしいと強く思いました。そして、次の一六日、桃ちゃんの家を訪ねましたが、三人とも留守だったので、出入口のドアの前に、手紙を添えて帰りました。手紙は姉の桜ちゃん宛てで書きました。

「桜ちゃんへ

桜ちゃんが四年生、桃ちゃんが二年生だった時、公園で三人で縄とび等をしていたのを覚えていますか。二月一四日に貰ったチョコレートですが、私は食べないので、桃ちゃんとお母さんの三人で食べてください」

チョコレートを届けた夜は、寅次は少し幸せな気持ちでした。

しかし、次の一七日、東部警察署の二人の警察官がそのチョコレートを返しに来たので、お母さんが返してほしいと頼んだのだと思い、警察官からチョコレートを返して貰いました。その日、二人の警察官は帰っていったので、寅次は安心して、暫くの間は、桜ちゃんと桃ちゃんには関わらないようにしようと思いました。寅次は、これですべてが終了したと思っていました。

ところがそれから一週間後の二月二四日、午前九時頃だったでしょうか、東部警察署から三人の警察官が寅次を訪ねて来ました。三人は家の玄関から入り、扉を閉め三人が並びました。そして、寅次はストーカーなので、警告すると言って、寅次の顔写真を撮り、警察側で一方的に作成した誓約書を読もうとしたので、寅次は聞くのを拒絶しました。

寅次は玄関の扉を開けて、外の人たちに、三人対一人の口論を聞いてもらいたいと思いました。扉を開けようとする寅次の両手を二人の警察官が摑みました。三対一で扉の開け閉めで対立が起きました。その時、三人の警察官は一致して「寅次の身体拘束」を決定しました。それは、寅次を東部警察署へ連行することでした。寅次の両手を摑んでいない警官が扉を開け寅次を引っ張り始め、寅次の右手を両手で握った警官は少し右前方へ、逆に左手を両手で握った警官は少し左前方へ、扉を開けた警官は寅次の足を取ったり、寅次の体を引っ張ったりし始めました。

寅次は三人の引っ張りに負けまいとして全身に力を入れ、家に留まろうとしましたが、条件が悪過ぎました。寅次の靴下は脱げそうになっています。引っ張る三人の警察官は、さすがに警察官です。一般的には犯罪者が暴れても、逮捕しなければなりません。この時の寅次は三人の引っ張る力に負けないように踏ん張るのですが、靴下が脱げそうな寅次の足と、しっかりと活動できる警官の革靴を履いた足とでは、とても勝ち目がありません。寅次の右手を両手で握る力と左手を両手で握る力が、寅次の手を少し開くように引っ張る力には、寅次の手の力はやはり勝ち目はありません。少しずつ三人が乗ってきた車に、四人は近づいていきました。この時、寅次は全力を出しているので、まったく声は出せませんでした。

車を見ると、三人が乗って来たのはパトロールカーではなく、白い普通の乗用車でした。一般の白い乗用車なので、通行人が車を見ても、特に何も思わないのでしょう。車の後部座席に引きずり込むのも、さすが警察官です。寅次の手を握っていない警官が右側の後ろの扉を開けます。寅次の左手を握っている警官が、先に車に乗り込み、寅次の左手を引っ張ります。右手を握っている警官は、手は離さずに、体で寅次の体を車に押し込みます。寅次は白い車に乗せられるのは感じたのですが、自分の足が心配になりました。車の扉を閉める時に、足が扉に挟まれそうなので、本当に心配でした。しかし、三人は実にその点も上手だったのでした。三人が後部座席に入ると、もう一人の警官が東部警察署に向けて、車を発車させました。寅次も力を出したので、三人はてこずりましたが、訓練しているためか、寅次も三人の手法に感心したのでした。寅次の左手を両手で握った警官も、右手を両手で握った警官も、車の中でも決して力を緩めようとはしませんでした。

暫く走ると寅次を乗せた白い車は、東部警察署の中庭に到着しました。後部右側の扉を外から開けると、寅次の右手を握ったまま警官が外に出て、寅次を引っ張りました。寅次も車の外に出たかったので、自らも外に出て、左手を握っている警官も、体を寅次に寄せて車外へ出ました。

すると、署内で待っていた三人の若い元気の良い警官が、寅次の周りに配置態勢を取りました。寅次は東部警察署では、机を挟んで、数人からの審問聴取を受けるのだろうと思っていましたが、どうも様子が違います。六人態勢で右側の建物の金属製の外階段を上ろうとするのです。寅次も力を入れようとしましたが、とても思うようになりませんでした。相撲取りのような体格の犯罪者をこの階段から上げるには、確かに六人態勢でないと難しいでしょう。寅次の靴下はほとんど脱げかけています。階段を上る時に誰かが足を滑らせると、怪我する可能性があるので、この時ばかりは、右足を持つ警官と左足を持つ警官に足を任せ、六人で階段を上げるのには抵抗しませんでした。

二階の踊り場に到着した時、寅次はまた抵抗しようとしましたが、一回空中に体を浮かされると、どうにも力が出しにくいことを実感せざるを得ませんでした。階段の踊り場のすぐ隣が一つの部屋になっていました。六人は、寅次の体をほぼ空に浮かせた形で、部屋に入りました。寅次はなんとか足をばたつかせて体重を下に向けたので、足は床に着いたのですが、それでも六人で引っ張ったり、押したりして、なんと七人で独房の中へ入ってしまいました。寅次の足は裸足になっていましたが、六人の警官の足は活動しやすい革靴の土足のままです。

次の六人の行動は、寅次の上着を脱がすことでした。左手の方は実に上手に脱がされ、次は右手になったので、右腕を少し曲げて脱がされないように粘りましたが、終に上着は右手からも離れていきました。江戸時代に山道を通る旅人が、追い剝ぎに身ぐるみ剝がされるとはこんなことかと思ったりもしました。下はジャージのズボンだったのですが、何と腰の部分を巻いている紐までも抜き取ったのです。六人の連携が良いというのか、紐はシュルシュルッと瞬間に抜き取られてしまいました。寅次は自分が女性でなくて良かったと思いましたが、紐は一人になった時に、自分の首を絞めないためだろうとの想像はつきました。寅次は自分なりに精一杯の力は出しましたが、革靴を履いた六人には勝てませんでした。独房から六人は出ていき、寅次はそこに一人で残されました。

独房の中で、一人で無駄な力を使ってもどうにもなりません。鉄格子の部屋を見回すと広さは三畳くらいでした。床には、薄手の茶色の古い毛布が二枚あったので、一枚を床に広げてみると、部屋はほんの少しだけ余白ができるくらいの広さなので、大人一人が横になって寝れるほどでしょうか。部屋の奥にトイレがあるだけです。奥の壁に窓はあるのですが、鉄格子なので、外の様子は分かりません。部屋にはあまり光が入らず、中は薄暗く、天気が良いのか悪いのかも分かりません。当然時計は無いので、その時が何時なのかも分かりません。想像ですが午前一〇時くらいだったでしょうか。たった一人で何をすることもできないのです。

一人になった寅次が考えたことは、弁護士を立てて裁判で闘うことでした。何時間が経過したのでしょうか、正午を過ぎたような気持ちになりました。刑務所の牢獄だったら、昼食が提供されるのかなあと思ったりしました。でも、ここは警察署の独房なので、臨時の拘置の場所に過ぎません。誰も来ないし、たった一人でいるだけです。時間が経過していくと、弁護士に依頼する費用はどのくらいの金額なのだろうかとか、裁判となったら、期間は長びくのかとか、期間やそれに掛かる労力等が心配になってきました。お金持ちでないと、弁護士を頼むのも難しいのかなと思ったりもしました。泣き寝入りする人も多いのだろうとも思いました。

どのくらい時間が経過したのでしょうか。午後二時くらいだったでしょうか。保健師の女性二人が、鉄格子の向こうから寅次との面会に来ました。寅次にとって、この二人と話せたことは本当に心の癒(いや)しとなりました。警察側からすると、保健師の二人に寅次の精神状態が正常かどうかの診断の判定のための面接だったのです。寅次には警察の目的は分かっていましたが、二人と話すことによって、何故寅次が独房にいるのかを伝える良い機会だと考えました。

姉の桜ちゃんが四年生となり、妹の桃ちゃんが二年生となった頃に、寅次に声を掛けて公園で遊ぶようになりました。五月頃だったでしょうか、桃ちゃんが泣いていたことが切っ掛けとなって、二人が公園に来た時には、一〇時から正午まで三人で遊ぶ日々が続いていました。桜ちゃんは漢字をよく知っていましたし、四つ葉のクローバーを見つけるのが、実に上手でした。二人はよく縄跳びをして、寅次は二人の跳ぶ回数を数えることがよくありました。夏に向かって暑くなってくると、桃ちゃんが冷たい飲み物を飲みたいとねだるようになり、二人にジュースをご馳走する日々が続きました。夏休みになった頃に、二人はパタッと公園に来なくなり、九月から学校の授業が始まった後から、二人は下校時に寅次に会うと怖がって逃げるようになりました。

次の年、桜ちゃんが五年生、桃ちゃんが三年生になった年も、学校帰りに寅次と出会うと、特に桃ちゃんが怖がって走って逃げていました。そのため、二月一四日に貰ったチョコレートを三人に食べてもらって、特に桃ちゃんの心を和らげたかったのですが、一七日に二人の警察官がチョコレートを返しに来て、その後一週間かけて対策を立てて、三人の警官で連行し、東部警察署では六人でこの独房に押し込んだのだと、保健師の二人に説明したのでした。寅次の話を聞いた二人は、そのことを署内の担当警官等に連絡してくれました。

その時、また一人となった寅次は、法律や人権について考えました。民法の第四条で年齢二〇歳をもって、成人とする。とありますが、数年後には、成人年齢が一八歳になります。これは法律で変更されます。東部警察の主張は、寅次はストーカー防止法によってストーカーだと言うのです。しかし、寅次の考えでは、法律は、あくまでも日本国憲法の基に成立されなければならないと思うのです。日本国憲法の第三章国民の権利及び義務の第一一条の基本的人権の享有で、「国民は、すべての基本的人権の享有を妨げられない。この憲法が国民に保障する基本的人権は、侵すことのできない永久の権利として、現在及び将来の国民に与へられる」とあります。

寅次はゆう君と砂場で楽しく遊んでいただけです。桜ちゃんや桃ちゃんとは、縄跳びの回数を数えたりして相手をしていただけだったのです。ゆう君のお母さんも、桜ちゃんと桃ちゃんも、そのお母さんも、みんな寅次を恐れるようになりました。一体誰がその原因を作り出したのでしょうか。寅次はもう二度とゆう君とも桜ちゃんとも桃ちゃんとも会わないでしょう。

あと数年でゆう君は小学生になります。その後でゆう君も桜ちゃんも桃ちゃんも思春期を迎え、そして大人となっていくでしょう。立派な成人へと成長して、社会に役立つ人になってほしい、そのように願うしか寅次にはできないのでした。

寅次担当の警察官に報告を終了した二人の保健師が、再び独房へ来て、寅次に温かい言葉を掛けてくれました。その後、出所することになった寅次が、東部警察署の独房から外に出て、空を見上げると青空でした。独房は薄暗かったので、まったく時間は分かりませんでしたが、午後三時くらいだったような気がします。

出所する際の必要書類を書き、寅次を独房に押し込んだ六人の警官たちと面した時の寅次の表情は、独房に入れられた時の表情とまったく同じでしたが、実は内面はまったく違うものだったのでした。心の中での寅次の目からは、大粒の涙が流れ続け、嗚咽の声が心の中で響き続けていたのでした。独房の中では、寅次の右手の甲が内出血で赤く腫れ上がっていましたが、足の打撲の痛みや節々の痛みが体中に出てきたのは、その日から二日後のことでした。

※　※

ここまでに出てきた「景子」「仁美」「寅次」「ゆう君」「桜ちゃん」「桃ちゃん」等の名前は『景子の緑の大地』の原稿に出てくる名前であって、本名ではないので、どうぞご了承ください。

出版に協力してくださった鉱脈社の方々に感謝いたします。そして、読んでくださった読者の方々に感謝いたします。

西暦五三八年頃に百済（くだら）から日本に仏教が伝来し、五九三年頃に聖徳太子が日本の政治に仏教精神を取り入れています。仏教精神は慈悲の心です。

一五四九年にはフランシスコ・ザビエルがキリスト教を日本に伝えています。キリスト教は愛の教えです。

昔から、日本人には「おもいやり」の心があったのだと思います。「おもいやり」は慈悲とも愛とも共通しているのだと思います。世界中で、慈悲、愛、おもいやりの心を持って、平和な世界になっていくといいなあと思っています。

本当に、ありがとうございました。

参考文献：学研の図鑑『地球・気象』学習研究社
『天気予報学入門』幻冬舎
『世界歴史』小学館
『万有百科大事典』小学館
『人体解剖図』成美堂出版
『世界史・日本史』山川出版社

［著者略歴］

服部　達和（はっとり　たつかず）

著書『生きる　女優吉永小百合が中学生だった頃
一体誰を好きだったのか』（2012年　鉱脈社）
『景子の碧い空』（2018年　鉱脈社）
『景子の碧い海』（2020年　鉱脈社）

真理と愛美

34

二〇二一年五月二十八日印刷
二〇二一年六月　三　日発行

著　者　服部達和 ©

発行者　川口敦己

発行所　鉱　脈　社
〒八八〇 - 八五五一
宮崎市田代町二六三番地
電話〇九八五 - 二五 - 一七五八

印刷 製本　有限会社　鉱　脈　社